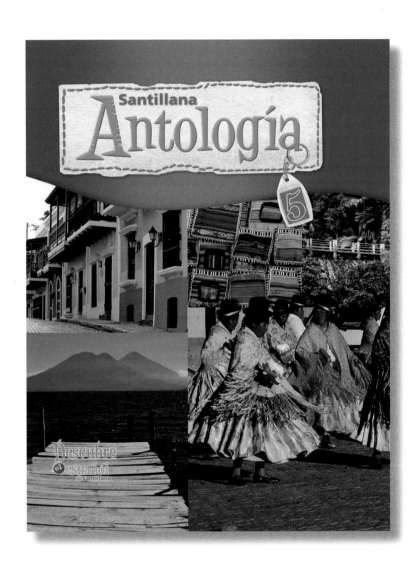

Descubre el español con Santillana
Antología 5
ISBN-13: 9781616056452
ISBN-10: 1616056452

Editorial and Production Staff

Editorial Director: Mario Castro
Executive Editor: Pedro Urbina
Senior Editor: Patricia E. Acosta
Editorial Research and Developmental Editing: Gabriela Prati
Contributing Developmental Editors: Lourdes M. Cobiella, Andrea Sánchez
Contributing copyeditor and proofreader: Claudia Baca
Design Manager: Mónica Candelas
Design and Layout: M. Patricia Reyes
Image and Photo Research Editor: Mónica Delgado de Patrucco
Cover Design and Layout: Studio Montage

Santillana USA Publishing Company, Inc.
2023 NW 84th Avenue, Doral, FL 33122
www.santillanausa.com

www.descubreelespanol.com

Printed by Worzalla Publishing Co.

19 18 17 16   4 5 6 7 8 9 10

Acknowledgments

Text: p. 54 ,"Reunión de mascotas" by Omar Nicosia, *Lenguaje 2*, Santillana S.A., La Paz; p. 78, "Real Rana Saltadora" by Jessenia Pagán Marrero, *Español 5 Yabisí*, Ediciones Santillana, Inc., Puero Rico; p. 94, "Supersapo" from "Las aventuras del sapo Ruperto", by Roy Berocay, *Lengua castellana 3*, Santillana Educación, S. L., Madrid; p. 118, "Vida y sueño" by Arturo Rico, *Nuevo Multitexto 5*, Santillana S. A., La Paz; p. 126, "Un cuento con mucho viento" by Carlos R. Gesualdi, Lecturas amigas 3, Santillana Educación, S.L., Madrid; p. 142, "Agapito, el coquí trovador" by Jessenia Pagán Marrero, *Español 5 Yabisí*, Ediciones Santillana, Inc., Puero Rico; p. 158, "Babú" by Roy Berocay, *Babú* by Roy Berocay, Alfaguara, Lima

Photos: p.18: © Alyx Kellington / Age Fotostock; p. 20: Santillana El Salvador, © Alberto Lowe / Reuters; pp. 30-32: Age Fotostock; p. 42: Irafael; p. 48: Edwin Ramírez; p. 40: Sandra Salvador / Age Fotostock; p. 50: © Bruce Yuan-Yue Bi / Age Fotostock, Sandra Salvador / Age Fotostock; pp. 70-73: © Norbert Scheidler; p.75: © Age Fotostock; © Reuters; p. 86: © The Print Collector / Age Fotostock; p. 90: © Michele Falzone / Age Fotostock; p. 102: © PSHAW-PHOTO / Shutterstock; p. 103: Courtesy: CSU Archive / Age Fotostock; p. 104: © Jim West / Age Fotostock; p. 105: © Bill Perry, © Richard Maschmeyer / Age Fotostock; p. 106: Alejandro Linares García; pp. 110-111: © AWL Images / Masterfile; p. 112: © Jean-Pierre Degas /Age Fotostock, © AWL Images / Masterfile; p. 113: Yadid Levy / Age Fotostock, © Archivo Santillana; p. 114: © Jorge Pinzón Cadena; p. 135: © Stefano Paterna / Age Fotostock; p. 136: Osvaldo Sánchez, © Age Fotostock; p. 137: © Reuters, © Stefano Paterna / Age Fotostock; p. 138: © Torino / Age Fotostock; pp. 151-153: © Reuters; p. 166: © Raga José Fuste / Age Fotostock; p. 167: © Guillermo Montesinos / Age Fotostock; p. 168: © Andrew Winning / Reuters; p. 169: © Age Fotostock; p. 170: © DEA PICTURE LIBRARY / Age Fotostock; p. 174: © Bjorn Svensson / Age Fotostock; p. 176: © Reuters; p. 177: © Pablo Corral Vega/ Age Fotostock, © Frans Lemmens / Age Fotostock; p. 178: © Florian Kopp / Age Fotostock.

Illustrations: Beginner Level: Walter Torres; Intermediate Level: Gastón Hauviller; Advanced Level: Emiliano López Ordás

The publisher has made every effort to secure permissions for all the copyrighted selections that appear in this book. Any errors or omissions will be corrected in future printings, as information becomes available.

Índice

To Teachers and Parents 2

Reading Comprehension Skills and Strategies 4

(1) Nos conocemos • *Descubre Bolivia*
La niña y el perro *de María Á. Pérez* 7

(2) ¿Cómo vivimos? • *Descubre España*
El niño de la Alhambra *de María Á. Pérez* 13

(3) Vamos a aprender • *Descubre El Salvador*
La escuela en El Salvador
de María Á. Pérez 19

(4) Los animales • *Descubre Puerto Rico*
El plan del coquí *de María Á. Pérez* 25

(5) Nos cuidamos • *Descubre Guatemala*
La comida de Guatemala *de María Á. Pérez* 31

(6) Nuestro ambiente • *Descubre Uruguay*
La idea de Laura *de María Á. Pérez* 37

(7) ¿Cómo funciona? • *Descubre México*
La misteriosa escritura maya
de María Á. Pérez 43

(8) Nuestras celebraciones • *Descubre Ecuador*
El Inti Raymi: La Fiesta del Sol
de María Á. Pérez 49

Índice

1 **Nos conocemos** • *Descubre Bolivia*

Reunión de mascotas *de Omar Nicosia*...................... 55

2 **¿Cómo vivimos?** • *Descubre España*

La batalla *Cuento folclórico español* 63

3 **Vamos a aprender** • *Descubre El Salvador*

Las fiestas y celebraciones de El Salvador
de María Á. Pérez 71

4 **Los animales** • *Descubre Puerto Rico*

Real Rana Saltadora
de Jessenia Pagán Marrero 79

5 **Nos cuidamos** • *Descubre Guatemala*

**Los juegos de pelota de los aztecas,
los mayas y los taínos** *de María A. Pérez* 87

6 **Nuestro ambiente** • *Descubre Uruguay*

Supersapo
de Roy Berocay 95

7 **¿Cómo funciona?** • *Descubre México*

Los Tres Grandes *de María Á. Pérez* 103

8 **Nuestras celebraciones** • *Descubre Ecuador*

El mercado y las fiestas de Otavalo
de María Á. Pérez 111

(1) Nos conocemos • *Descubre Bolivia*

Vida y sueño *de Arturo Rico* 119

(2) ¿Cómo vivimos? • *Descubre España*

Un cuento con mucho viento
de Carlos R. Gesualdi 127

(3) Vamos a aprender • *Descubre El Salvador*

El Salvador, tierra de volcanes
de María Á. Pérez 135

(4) Los animales • *Descubre Puerto Rico*

Agapito, el coquí trovador
de Jessenia Pagán Marrero 143

(5) Nos cuidamos • *Descubre Guatemala*

Los alimentos del continente americano
de María Á. Pérez 151

(6) Nuestro ambiente • *Descubre Uruguay*

Babú *de Roy Berocay* 159

(7) ¿Cómo funciona? • *Descubre México*

La ciudad debajo de la Ciudad de México
de María Á. Pérez 167

(8) Nuestras celebraciones • *Descubre Ecuador*

**Los instrumentos de la música
andina de Ecuador** *de María Á. Pérez* 175

Glosario 182

To Teachers and Parents

Descubre el español con Santillana is a comprehensive program designed to teach Spanish as a world language in elementary school classrooms. Created with teacher flexibility in mind, the program can be used in a FLES setting, or it can be used to support FLEX or Dual-Language instruction.

The **Antologías** are an integral part of the *Descubre el español con Santillana* program. They are a collection of authentic grade-appropriate literature, thematically correlated to each unit of the student book. There is one **Antología** per grade, for grades 1 to 5.

Each unit in the **Antología** includes three readings from different genres to accommodate the needs of students of Spanish, as well as heritage speakers, who generally have a stronger command of vocabulary than beginning FLES students. The readings are divided into three categories: Beginner, Intermediate, and Advanced.

Each reading includes appropriate pre- and post-reading activities designed to help support the literacy skills taught in *Descubre el español con Santillana*, including accessing prior knowledge, vocabulary, phonics, reading fluency, reading comprehension, spelling, and writing.

The **Antologías** are ideal for supporting reading in the classroom, whether as shared, guided, or independent reading. The **Antologías** are also flexible enough to use at home by parents as a stand-alone reading companion. The **Annotated Edition** contains point-of-use teaching suggestions and answer keys, and comes with an **Audio CD** of the reading selections as well as the **Comprendo lo que leí** activities. A student **ebook** version is also available.

How to Use the *Antología*

Antes de leer

This section is comprised of guided questions that help connect students to prior knowledge they may have about the subject or theme. The **Annotated Edition** includes teacher/parent prompts to further enhance the guided questions. These prompts can be used in conjunction with pre-reading strategies—such as previewing, KWL charts, and brainstorming—to help prepare students for the reading selection.

A number of vocabulary words are highlighted in each selection. These words can be introduced to students before they start reading to ensure a better understanding of the selection. A glossary of the highlighted vocabulary can be found at the end of the book.

For information on how to purchase the Annotated Edition (with the Audio CD) or the ebook, visit: www.descubreelespanol.com

Lectura

The literature selections in the **Antologías** are authentic pieces that cover a variety of themes and genres culturally relevant to the country that is studied in each unit. They include informational and expository texts, biographies, poetry, and fiction.

The use of appropriate reading strategies is essential for the development of reading skills. Reading strategies are designed to help students better understand the reading selections before, during, and after they read. Some useful strategies, for example, are Echo Reading, Retelling, and Summarizing. "Echo Reading" is an easy-to-use strategy that helps students learn fluency, expression, and reading at an appropriate rate. "Retelling" helps students to tell the story using their own words, and "Summarizing" helps them to identify the main ideas of the story. A detailed list of reading comprehension skills and strategies can be found on pages 4–5.

Comprendo lo que leí

This one-page section has a series of comprehension questions designed to measure how well students understand the selection. In addition, each series has one critical thinking question to help students to reflect on the selection and engage in independent, higher-order thinking skills. The use of reading comprehension skills and strategies is recommended to help students to better understand the selection before answering the comprehension questions. The **Annotated Edition** comes with an answer key for this section.

Así se dice

This one-page section focuses on phonics, words with variable spelling forms (**ortografía dudosa**), and vocabulary development. Helpful grammar definitions are provided followed by activities. The phonics activities help students to understand the relationship between letters and sounds. The variable spelling activities give students an opportunity to practice sounds that are similar or identical in Spanish but have different spelling forms and meaning, such as **casa**, **caza**. The vocabulary development activities help students to understand new vocabulary and use it when reading and writing. The **Annotated Edition** comes with an answer key for this section.

Así se escribe

The focus of this section is grammar and spelling. Helpful grammar definitions are provided followed by activities. These activities help students to understand the function and application of grammatical and spelling conventions in appropriate grade-level contexts. The **Annotated Edition** comes with an answer key for this section.

A escribir

The writing activity encourages students to think, evaluate, and write about the selection they just read. It can focus on the selection, a part of the selection, or expand upon the selection. The activity also gives students an opportunity to practice using the grammar and spelling functions they have just learned in that unit. The **Annotated Edition** includes teacher/parent prompts to further enhance the writing experience. All activities in the **Antología** must be written on a separate notebook or sheet of paper.

Reading Comprehension Skills and Strategies

Author's Point of View

All stories have a narrator. Sometimes, the narrator is an outside observer and tells the story in the third-person, using pronouns, such as **él**, **ella**, **se**, **ellos**, and **ellas**. Sometimes, the narrator is also a character in the story and uses pronouns such as **yo**, **mi**, **me**, and **mío**. When the narrator is an outside observer, the author is using the third-person point of view to tell the story. When the narrator is a character, the author is using the first-person point of view to tell the story. Guide students to identify pronouns in the selection that show the author's point of view.

Author's Purpose

Authors write stories for a reason. This reason is called **author's purpose**. The four main reasons for writing a story are: 1) to **inform**, or tell about something; 2) to **explain**, or describe what something is like or how something works; 3) to **entertain**, or make the reading enjoyable or funny; and 4) to **persuade**, or convince the reader to do something or to think the way the author does. Sometimes, authors have more than one purpose for writing a story. Ask students to identify the author's main purpose for writing the selection. Help them to find and name the details that the author uses to accomplish the purpose.

Cause and Effect

A **cause** is why something happens. An **effect** is what happens as a result of that cause. Sometimes, words and phrases such as **porque**, **por eso**, **desde entonces**, **por lo tanto**, and others, give clues to indicate cause and effect relationships in a story. However, a story may not include these words and still have cause and effect relationships. Encourage students to find any signal words that may be present in the story and help them to identify cause and effect relationships in the selection.

Comparing and Contrasting

When we tell how two or more things, events, or characters are alike, we are **comparing**. When we tell how two or more things, events, or characters are different, we are **contrasting**. Comparing and contrasting helps us to understand how people, events, or things are alike or different in a story. Have students look through the selection and help them to identify instances in which the author compares and contrasts events, characters, or things.

Drawing Conclusions

We **draw conclusions** when we take information about a character or event in a story and then make a statement, or conclusion, about that character or event based on that information. Have students look through the paragraphs they are reading and model how to draw conclusions about the characters and/or events.

Echo Reading

This reading strategy is ideal for modeling correct pronunciation and intonation of text. Start reading the selection and ask students to repeat after you. Start with words and phrases, and gradually increase to sentences. Be sure to read with emotion and in a lively manner. Avoid correcting students who mispronounce. Instead, encourage them to continue reading, following your lead, as you gradually release more responsibility to them.

Fantasy and Reality

Fantasy is something that could not happen in real life. **Reality** is everything that is real or authentic. A fantasy may be a story that includes make-believe characters such as talking animals, while a realistic story may tell about something that could happen in real life. Help students identify stories they may know that are fantasies and stories they may know that are realistic. Ask students if the selection they are reading is realistic or if it is a fantasy. Have them identify details or examples from the selection that are make-believe or realistic.

Main Idea and Details

The **main idea** is the most important point the author makes in a story or paragraph. In a paragraph, the main idea is often contained in a topic sentence at the beginning or at the end of the paragraph. In order to support the main idea, authors use **details** in other sentences that may describe, give reasons and definitions, and give other types of information. Help students to identify the main idea and details of some of the paragraphs in the selection.

Making Inferences

We make **inferences** when we use clues from the reading and what we already know to figure out something that is not directly stated or explained in the reading. Have students make inferences about the characters or events in the selection.

Retelling

Retelling is when a reader tells the story in her or his own words. Retelling provides the reader with the opportunity to process what she/he has read by organizing and explaining it to others. Retelling can be used for a paragraph, section, or for the entire selection. Have students retell the selection by helping them to organize the events of the selection.

Sequence

Sequence is the order of events in a story. Understanding in which order events take place in a story is essential to forming ideas and opinions about a story. Words and phrases such as **primero**, **después**, **luego**, **finalmente**, **al día siguiente**, **mañana**, and so on, often signal order of events and time in a story. Help students to identify order of events in the selection by having them identify time and order words or phrases.

Summarizing

When we determine the most important events or ideas in a text, we are **summarizing**. Summarizing helps us to learn how to determine essential ideas and consolidate important details that support them. Summarizing can be used with paragraphs, sections, or for the entire selection. Help students to summarize the selection by asking them to identify the most important events or ideas of the selection.

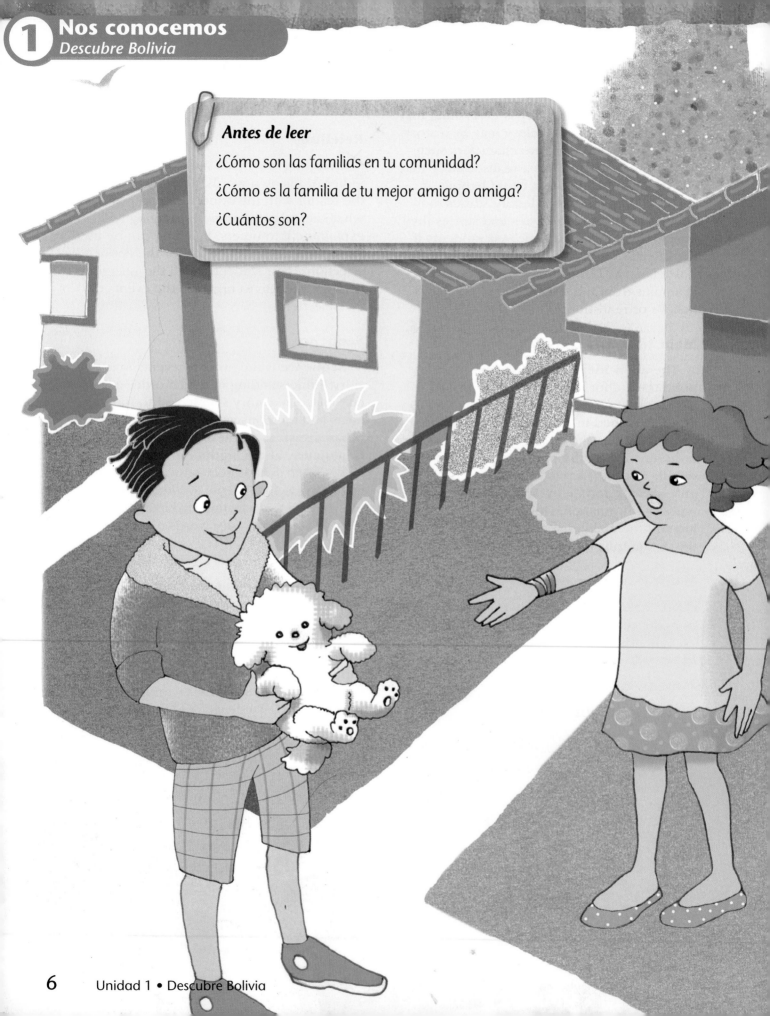

Antes de leer

¿Cómo son las familias en tu comunidad?

¿Cómo es la familia de tu mejor amigo o amiga?

¿Cuántos son?

La niña y el perro

María Á. Pérez

Personajes

ÓSCAR, niño de 11 años

TOBI, perro

INÉS, vecina de Óscar

ELENA, madre de Óscar

ANDRÉS, padre de Óscar

TOMÁS, abuelo de Inés

ÚRSULA, hermana de Inés

1 *Óscar está en el patio de su casa. En el patio también hay un*
perro. Óscar no conoce al perro.

ÓSCAR: ¡Hola, perrito! ¿Cómo te llamas?

INÉS: (*Desde el patio de la casa vecina.*) Se llama Tobi.

5 ÓSCAR: ¿Tobi? Me gusta Tobi. ¿Y tú cómo te llamas?

INÉS: Me llamo Inés. Vamos, Tobi. (*Entra en su casa, y el perro*
también entra.)

ÓSCAR (*Asombrado.*): Pero, ¿qué...?

Ahora, los padres de Óscar también están en el patio.

10 ELENA: ¿Con quién hablas, hijo?

ÓSCAR: Un perro... No, una niña... Hablo con la niña de
la casa vecina. Ella tiene un perro.

ELENA: ¿Una niña y un perro? ¿Son vecinos nuevos?

ANDRÉS: Vamos a saludar.

15 *Óscar y sus padres están en la casa vecina.*
Un señor mayor sale a saludar.

ELENA: Buenas tardes. Soy Elena. Él es mi esposo, Andrés.
Y él es nuestro hijo, Óscar. Nosotros somos sus vecinos.

TOMÁS: ¡Mucho gusto! Yo soy Tomás.

20 ANDRÉS: ¡Encantado! ¿Tiene usted familia?

TOMÁS: No, yo no tengo familia.

ÓSCAR: ¿No tiene una niña y un perro? La niña se llama Inés
y el perro, Tobi.

TOMÁS: No, no. Yo no tengo familia. Bueno, adiós. (*Entra en*
25 *su casa.*)

Los padres miran a Óscar.

ANDRÉS: Óscar, no eres cómico. Aquí no hay ni una niña
ni un perro.

ÓSCAR: Papá, no es una broma. Es una niña alta y seria.
30 Tiene el pelo castaño. El perro es pequeño y simpático.

ELENA: Bueno, vamos a casa.

*Ahora, Óscar y sus padres están otra vez en su casa. El perro
está otra vez en el patio y juega con una niña.*

ÓSCAR: (*A sus padres.*) ¡El perrito!

35 ÚRSULA: ¡Hola! ¿Cómo están?

ÓSCAR: Pero... ¿quién eres tú?

ÚRSULA: Me llamo Úrsula. Soy la hermana menor de Inés.

ÓSCAR: ¿Dónde está tu familia?

ÚRSULA: (*Señala la casa vecina.*) En esa casa. Somos vecinos.

40 ELENA: Pero un señor, don Tomás, está en esa casa y dice
que no tiene familia.

ÚRSULA: Ah, sí, es mi abuelo. Es muy mayor y tiene problemas
de memoria. Hay días en que no recuerda nada. Somos
cinco personas en casa: mis padres, mi abuelo, Inés y yo.

45 ANDRÉS: ¡Bienvenidos a la comunidad!

Comprendo lo que leí

1. ¿Cómo se llama el perro que está en el patio?

   a. Tobi

   b. Elena

   c. Úrsula

2. ¿Quién es don Tomás?

   a. el papá de Andrés y Elena

   b. el abuelo de Óscar y Tobi

   c. el abuelo de Inés y Úrsula

3. ¿Qué le pasa a don Tomás?

   a. No le gusta saludar a la familia.

   b. No recuerda a su familia.

   c. No recuerda a su perro Tobi.

4. Inés y Óscar son…

   a. vecinos.

   b. primos.

   c. hermanos.

5. ¿Por qué piensa Óscar que Inés no es sociable?

   a. Porque no le presenta a su familia.

   b. Porque tiene un perro serio.

   c. Porque no se despide de Óscar.

6. ¿Por qué crees que Inés no se despide de Óscar?
   Explica.

Así se dice

1. Pon los nombres en orden alfabético. Identifica los que empiezan con vocal.

Óscar	Tobi	Inés	Úrsula
Elena	Tomás	Andrés	

2. Escoge la respuesta correcta para cada pregunta.

   a. ¿Cómo te llamas?   1. Es pelirroja y baja.

   b. ¿Cómo está usted?   2. Soy Óscar.

   c. ¿Cómo es?   3. Me llamo Úrsula.

   d. ¿Quién eres?   4. Muy bien, gracias.

Cuando hablamos con una persona mayor o con un adulto que no conocemos, usamos **usted**.

Cuando hablamos con nuestros amigos y nuestra familia, usamos **tú**.

3. Elige *tú* o *usted* para cada uno de los personajes.

   a. Don Tomás:

   b. Inés:

   c Óscar:

4. Busca la palabra que significa lo mismo en la lectura. El número dice en qué segmento está la palabra.

   a. la historia comienza en este lugar de la casa (1)

   b. las personas que viven cerca de donde vives tú (10)

   c. en la de Inés son cinco personas (40)

5. Usa las palabras de la actividad anterior para completar las oraciones.

   a. Don Tomás, Inés y Úrsula son los nuevos _____ de Óscar.

   b. Tobi está en el _____ de la casa de Óscar.

   c. En la _____ de Óscar son tres.

Así se escribe

Cuando la oración es una pregunta o una exclamación, se usan **los signos ¿? ¡!** al principio y al final. Al final de una oración declarativa, se usa un punto.

➤ Pregunta: ¿Cómo bailan los niños y las niñas?

➤ Exclamación: ¡Dan vueltas y vueltas!

➤ Final de oración: Óscar saluda a Inés.

1. Busca en la lectura una pregunta, una exclamación y una oración declarativa.

Las **letras mayúsculas** se usan al comenzar una oración, después de un punto y para escribir nombres propios.

➤ La señora Elena y don Tomás se saludan. Don Tomás es el abuelo de Inés.

2. Corrige las oraciones. Usa mayúsculas.

a. don tomás es mayor.

b. el papá de óscar se llama andrés.

c. buenas tardes. soy elena. él es mi hijo, óscar.

El verbo **ser** se usa para hablar de una condición permanente.

➤ Tú **eres** mi amigo. / María y Carla **son** hermanas. / Nosotros **somos** primos.

3. Completa las oraciones con la forma correcta del verbo *ser*.

| son | somos | eres |

a. Inés y Úrsula _____ mis vecinas.

b. Tobi y yo _____ amigos.

c. Tú no _____ Inés… ¿Quién _____ ?

A escribir

● Imagina que conoces a un nuevo amigo o amiga. ¿Cómo es? ¿Con quién vive? Escribe un párrafo.

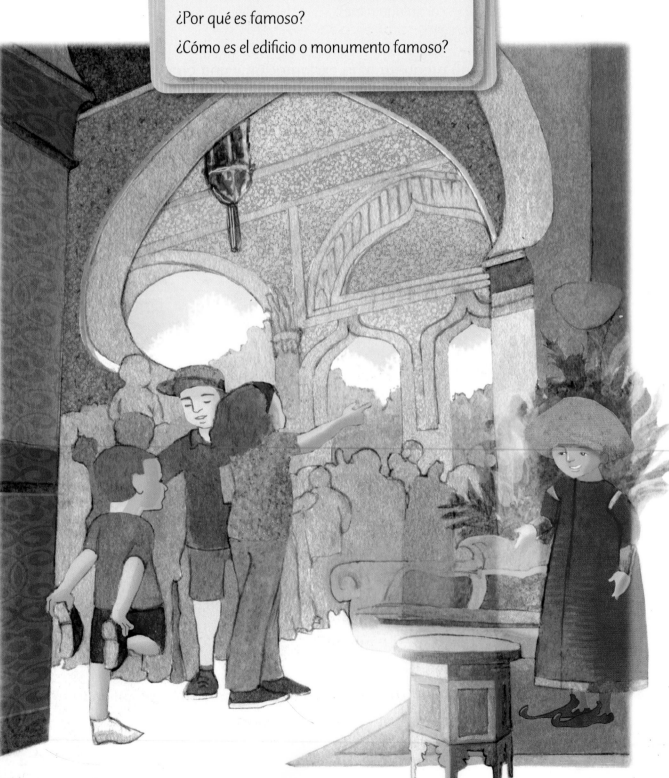

Antes de leer

¿Qué edificio o monumento famoso tienes en tu comunidad?

¿Por qué es famoso?

¿Cómo es el edificio o monumento famoso?

El niño de la Alhambra

María Á. Pérez

1   Alex mira a las personas a su alrededor. "¿Por qué hay tantas personas aquí?", piensa. "No estamos en un parque de diversiones. No estamos en una feria. Ni siquiera estamos en la playa. Aquí sólo hay montañas, un parque y palacios antiguos".

—No me gusta este lugar. Quiero ir al cine o a la playa —dice Alex a sus padres.

—Ya estamos aquí, Alex. La Alhambra es muy bonita —dice el papá.

2   La familia entra y va a los jardines. Hay muchas cosas antiguas. También hay fuentes y flores.

—No quiero estar aquí. Quiero ir al cine —dice Alex muy serio.

—¡Por favor, Alex! —contesta su mamá muy seria.

3   Salen de los jardines y entran a un edificio muy grande. El papá dice que es un palacio importante, muy antiguo. El papá y la mamá de Alex caminan hacia la izquierda. Alex se queda atrás, mirando a las personas.

—¡Alex! —dice una voz.

—¿Qué? —pregunta Alex y mira a su alrededor.

—Por aquí, a tu derecha —dice la voz.

4   Alex camina a la derecha. Enfrente de él hay un niño. Lleva un traje largo, de color rojo. Sus zapatos también son rojos. Tiene un gorro grande y amarillo. "¿Es Aladino?", piensa Alex.

—¡Hola! Soy Boabdil. Bienvenido a mi casa. Vamos a jugar. Pero tienes que quitarte tus zapatos —dice el niño.

5   Alex se quita los zapatos. Los dos niños entran en una sala grande. En la sala no hay teléfono, no hay computadora, ni cosas modernas. Solamente hay muchas alfombras de colores y un sofá azul. Por una ventana se puede ver la ciudad de Granada con personas que llevan ropa como la de Boabdil.

    —¿Estás aquí solo? —pregunta Alex.

    —No. Vivo con mis padres, mis hermanos y muchas personas más —dice Boabdil.

    —¿Y por qué vives en este palacio?

    —Porque mi papá es el rey de Granada. Ven, vamos al patio a jugar —dice Boabdil.

6   Alex y el niño caminan hasta llegar a unos leones de piedra, en el patio del palacio. El papá y la mamá de Alex están en el patio. Los padres ven a Alex, pero no ven a Boabdil.

    —Ah, aquí estás, Alex —dice su mamá—. Pero, ¿dónde están tus zapatos?

    —No sé... en el palacio... —dice Alex.

    —Mira, hijo, este es el Patio de los Leones. ¿Te gusta? —pregunta el papá.

    —Me gusta mucho. Mi amigo vive aquí. ¿Dónde estás, Boabdil?

    —Yo no veo a tu amigo, Alex... —dice su mamá.

7   Alex mira a los leones de piedra y entre dos de ellos ve a Boabdil, que dice adiós con la mano.

Comprendo lo que leí

1. ¿Qué es la Alhambra?

   a. Es un palacio muy moderno.

   b. Es una casa de familia.

   c. Es un palacio muy antiguo.

2. ¿A quién se parece Boabdil?

   a. Se parece a Aladino.

   b. Se parece a Alex.

   c. Se parece al palacio.

3. En la Alhambra hay...

   a. computadoras, teléfono y cosas modernas.

   b. jardines, cosas antiguas y un patio.

   c. leones, perros, gatos y peces.

4. ¿En qué lugar de La Alhambra están
   los leones de piedra?

   a. en el sofá azul

   b. en el patio del palacio

   c. en la sala grande

5. ¿Por qué vive Boabdil en un palacio?

   a. porque su papá es el rey de Granada

   b. porque su papá vive en Granada

   c. porque su mamá tiene leones en el patio

6. Los padres pueden ver a Alex en el patio, pero no a Boabdil.
   ¿Por qué crees que solamente Alex ve a Boabdil?

Así se dice

En las palabras con **que** y **qui**, la **u** no se pronuncia.

➤ **que**so, **qui**mera

1. Completa las palabras con *que* o *qui*.

   a. por _____

   b. ar _____ tectura

   c. _____ tarte

   d. par _____

Los **sinónimos** son palabras que tienen significados iguales o muy parecidos.

➤ casa: hogar, vivienda   ➤ papá: padre

2. Escoge el sinónimo de la palabra subrayada en estas oraciones.

   a. Aquí sólo hay montañas, un parque y palacios <u>antiguos</u>.

      • nuevos   • bonitos   • viejos

   b. Alex mira a los leones de <u>roca</u>.

      • porcelana   • piedra   • papel

   c. Boabdil tiene un <u>gorro</u> grande y amarillo en su cabeza.

      • sombrero   • zapatos   • traje

3. Busca la palabra que significa lo mismo en la lectura. El número dice en qué segmento está la palabra.

   a. es un sinónimo de gente (1)

   b. en estos lugares hay flores y fuentes (2)

   c. que no son antiguas (5)

4. Usa las palabras de la actividad anterior para completar las oraciones.

   a. En el palacio no hay cosas _____.

   b. Hay muchas _____ en la Alhambra.

   c. Los _____ más bonitos tienen muchas flores.

Así se escribe

El sonido fuerte de la letra **r** se escribe con **rr** cuando está entre dos vocales.

➤ pe**rr**o, ma**rr**ón

Este sonido se escribe con **r** cuando está al comienzo de la palabra o entre una consonante y una vocal.

➤ **r**ápido, En**r**ique

1. Completa las palabras con *r* o con *rr*.

   a.   ojo
   b. abu   ido
   c.   edondo
   d. al   ededor
   e. go   o
   f.   ey

Recuerda que cuando la oración es una pregunta o exclamación, se usan los **signos ¿? ¡!** al principio y al final de la misma. Al final de una oración declarativa, se usa un punto.

2. Escribe los signos de puntuación que faltan en las oraciones.

   a.   Por favor, Alex!
   b.   Dónde están tus zapatos
   c. Alex se quita los zapatos en silencio
   d.   Hola Soy Boabdil.

El verbo **estar** se usa para hablar de una condición temporal.

➤ Tú **estás** en el jardín. / Los niños **están** en la sala. / Yo **estoy** en Granada.

3. Completa las oraciones con la forma correcta del verbo *estar*.

estoy   estás   están

   a. Los padres de Alex   en el jardín.
   b. ¿Dónde   tú?
   c. Yo también   en la Alhambra.

A escribir

● Imagina que conoces al rey de Granada. ¿Qué ropa lleva? Escribe un párrafo.

Antes de leer

¿Cúantas horas a la semana tienes matemáticas?
¿Y ciencias?

¿Cuántos años tienes que estudiar en la escuela?

¿Qué haces durante las vacaciones escolares?

La escuela en El Salvador

María Á. Pérez

1   Al igual que en Estados Unidos, los niños de El Salvador van a la escuela durante nueve meses al año. Pero en El Salvador los niños comienzan las clases en febrero y terminan en noviembre.

2   Las vacaciones son de noviembre a enero. También hay una semana de vacaciones durante Semana Santa, en marzo o abril; y otra semana de vacaciones "agostinas" (en agosto).

3   En El Salvador hay escuelas públicas y escuelas privadas, como en Estados Unidos. También hay escuelas privadas bilingües. En estas escuelas los alumnos tienen clases en español y en otro idioma como el inglés, el francés o el alemán. Cuando tienen dieciocho años, los alumnos de escuelas privadas hablan bien dos o más idiomas.

4   Los horarios en El Salvador dependen de la escuela y el lugar donde está la misma. Hay dos turnos: algunos alumnos van a clase por la mañana y otros van a clase por la tarde. El turno "matutino", o de la mañana, es de 7:00 a.m. a 12:00 p.m. El turno "vespertino", o de la tarde, es de 1:00 p.m. a 6:00 p.m.

5   La tabla con el horario matutino de quinto grado, en esta página, es de una escuela de San Salvador. En quinto grado los alumnos tienen cinco horas a la semana de lenguaje, matemáticas y ciencias. También tienen cuatro horas de estudios sociales, tres horas de educación física y de arte.

6   La educación en El Salvador tiene dos niveles: el nivel de educación primaria y el nivel de educación secundaria. La escuela *primaria* dura nueve años: va de primer grado hasta el noveno grado. La escuela *secundaria* dura tres años. Después, los alumnos van a la universidad o a trabajar.

Horario matutino

hora	lunes	martes	miércoles	jueves	viernes 😊
7:00 a.m.	lenguaje	lenguaje	lenguaje	lenguaje	lenguaje
8:00 a.m.	matemáticas	matemáticas	matemáticas	matemáticas	matemáticas
9:00 a.m.	ciencias	ciencias	ciencias	ciencias	ciencias
10:00 a.m.	recreo				
10:15 a.m.	educación física	arte	educación física	arte	educación física
11:00 a.m.	estudios sociales	estudios sociales	estudios sociales	estudios sociales	arte
12:00 p.m.	salida →				

Comprendo lo que leí

1. ¿Qué es el turno matutino?

   a. el turno de la tarde

   b. el turno de recreo

   c. el turno de la mañana

2. La escuela primaria en El Salvador dura...

   a. tres años.

   b. nueve años.

   c. doce años.

3. Los alumnos de quinto grado tienen cinco horas
   a la semana de...

   a. lenguaje.

   b. estudios sociales.

   c. educación física.

4. ¿De cuántos meses son las vacaciones en
   El Salvador?

   a. de tres meses

   b. de dos meses

   c. de seis meses

5. Las clases en El Salvador son de lunes a...

   a. sábado.

   b. viernes.

   c. domingo.

6. ¿Por qué tienen las escuelas en El Salvador un turno matutino
   y otro vespertino?

Así se dice

Las sílabas **ga, go, gu** se pronuncian con sonidos suaves. Las sílabas **ja, jo, ju** se pronuncian con sonidos fuertes.

➤ **ga**llo, **go**ta, **gu**sano

➤ **ja**món, **jo**ven, **ju**go

1. Completa las palabras con *ga, go, gu, ja, jo,* o *ju.*

   a. ____gar
   b. ami____
   c. ____to

   d. ba____
   e. hi____
   f. al____nos

Los **antónimos** son palabras que tienen significados opuestos.

➤ fácil / difícil   ➤ subir / bajar   ➤ detrás / delante

2. Escoge el antónimo correcto de estas palabras.

- alguno
  a. ninguno   b. alguien
- matutino
  a. primaria   b. vespertino
- igual
  a. diferente   b. similar

- privado
  a. agostino   b. público
- terminar
  a. comenzar   b. acabar
- antes
  a. primero   b. después

3. Busca la palabra que significa los mismo en la lectura. El número dice en qué párrafo está la palabra.

   a. vacaciones de una semana, en agosto (2)
   b. que hablan o enseñan dos idiomas (3)
   c. en las escuelas hay dos: uno por la mañana y otro por la tarde (4)

4. Usa las palabras de la actividad anterior para completar las oraciones.

   a. En las vacaciones _____ hace mucho calor.
   b. Muchas escuelas tienen dos _____.
   c. Hay alumnos _____ en El Salvador.

1. Completa las palabras con *g* o *j*

a. lengua___e
b. ___orro
c. ro___o
d. e___emplo
e. a___osto
f. lar___o

> Los días de la semana, los meses del año y los idiomas se escriben con **minúscula**.
> **Recuerda** que los nombres propios, como los nombres de los países, ciudades y océanos, se escriben con **mayúscula**.

2. Corrige los errores en estas oraciones.

a. Los alumnos tienen Inglés los Martes.
b. Hay fiestas en san Salvador en Agosto.
c. En españa hablan Español.

> Los **verbos regulares** son los que mantienen la misma raíz en todos los tiempos.
>
> ➤ **gan**ar: **gan**o, **gan**é, **gan**arás
>
> Los **verbos irregulares** son los que cambian su raíz.
>
> ➤ ir: voy, fui, iré
>
> Las formas del verbo **ir** en presente son:
>
> yo **voy** tú **vas** él/ella **va**
>
> ustedes **van** ellos/ellas **van** nosotros/nosotras **vamos**

3. Completa las oraciones con la forma correcta del verbo *ir*.

van vamos va

a. Mi familia y yo _____ a la playa.
b. Mi hermano Tim _____ a la universidad.
c. Los alumnos _____ a la clase de música.

A escribir

● ¿Por qué es importante hablar varios idiomas? Escribe un párrafo.

Antes de leer

¿Qué significa "estar en peligro de extinción"?

¿Cuáles son algunos animales en peligro de extinción?

¿Qué podemos hacer para ayudar a esos animales?

El plan del coquí

María Á. Pérez

1   "¿En peligro de extinción? ¡No, no puedo permitir eso!", piensa el coquí. Entonces decide escribir un plan de acción en una hoja de un árbol. Cuando termina, enrolla la hoja cuidadosamente y va a la casa de su vecina, la cotorra.

—Coquí, coquí —llama la ranita.

—¡Qué animal tan ruidoso! —dice la cotorra.

—¿Ruidoso, yo? —dice el coquí alegremente—. Mira, lee esto.

2   La cotorra lee la hoja rápidamente y piensa que es un buen plan. Así que decide ir con el coquí. Juntos saltan por el bosque hasta que llegan a la cueva del murciélago.

—¡Hola! ¡Hola! —dice la cotorra cuando llegan a la cueva.

—¡Qué animales tan ruidosos! —responde de mal humor el murciélago.

—Lee esto —dice el coquí.

—No veo bien —responde el murciélago.

3   Entonces la cotorra lee el plan en voz alta.

—El plan es interesante —dice el murciélago cuando la cotorra termina de leer.

—Ven, vamos juntos a la costa, a hablar con la tortuga marina —dice el coquí.

4   Como la costa está lejos, el murciélago y la cotorra vuelan hacia el océano. La cotorra lleva al coquí en sus patas. Por fin, llegan a la playa que está vacía.

—¿Dónde está la tortuga? —pregunta la cotorra.

—Estoy aquí. ¿Qué pasa? —responde una voz debajo de la arena.

5   La tortuga sale de la arena y camina lentamente.

25

—Lee esto —dice el coquí.

—El plan es serio. Vamos, tenemos que hablar con el manatí —dice la tortuga.

6   La tortuga lleva a los tres animales sobre su espalda, y nada a una isla cerca de la costa.

—Sr. Manatí, ¿está aquí? —llama la tortuga.

—¿Manatí, tí-tí-tí? —repite la cotorra.

7   Nadie contesta. Pero entonces escuchan un sonido cerca. Debajo de dos palmeras, ven al manatí, que juega al dominó con la ballena. La ballena no está feliz.

—¡Manatí, eres un tramposo! —dice la ballena.

—Lo siento, amiga, tú puedes ganar mañana —dice el simpático manatí.

8   Los animales saludan al manatí y a la ballena.

—Lee mi plan —dice el coquí al manatí.

9   El manatí lee el plan en voz alta mientras la ballena escucha. Entonces el manatí mira con interés la pequeña hoja. "Qué deliciosa", piensa el manatí, y rápidamente devora la hoja.

—¡Oh, no! ¡Mi hoja! ¡Mi plan!—grita el coquí.

—Tranquilo, amigo. Ya todos sabemos el plan —responde el manatí—. Miren allá. ¿Ven eso?

10   Los animales miran y ven muchas máquinas de construcción.

—Si los humanos construyen casas ahí, van a destruir nuestro hábitat —dice la tortuga.

—¡Necesitamos poner el plan en acción! —dice el coquí.

11   Los animales ponen el plan en acción. El plan es… ¡invadir el hábitat de los humanos! Sólo así los humanos pueden comprender cómo se sienten los animales en peligro de extinción. Y sólo así los humanos pueden aprender a cuidar y respetar los hábitats naturales.

Comprendo lo que leí

1. El coquí fue primero a la casa de su vecina, la…

    a. cotorra.

    b. ballena.

    c. tortuga.

2. ¿Qué piensa el murciélago sobre el plan del coquí?

    a. Piensa que es bonito.

    b. Piensa que es interesante.

    c. Piensa que es serio.

3. ¿Dónde están el manatí y la ballena?

    a. Están en un bosque.

    b. Están en una montaña.

    c. Están en una isla.

4. ¿Por qué se come el plan el manatí?

    a. porque el plan no le gusta

    b. porque la hoja está deliciosa

    c. porque la hoja es pequeña

5. Los animales en peligro de extinción van a…

    a. saludar a los humanos.

    b. despedirse de los humanos.

    c. invadir el hábitat de los humanos.

6. ¿Crees que va a funcionar el plan del coquí? ¿Cómo se van a sentir los humanos cuando los animales invadan su hábitat? Explica.

Antes de leer

¿Qué comes en el desayuno, el almuerzo y la cena?

¿Qué alimentos llevan estas comidas? ¿Jugo, papa, carne, pan, u otra cosa?

¿Cuál es la comida más típica de Estados Unidos?

¿Qué ingredientes lleva?

Mujer maya con diferentes tipos de maíz

Vendedora de tortillas

La comida de Guatemala

María Á. Pérez

1   Guatemala es un país con alimentos muy ricos. La comida guatemalteca es una mezcla de los alimentos que cultivaban los mayas y los alimentos que los españoles trajeron cuando colonizaron Guatemala. Esta mezcla hace que Guatemala tenga una variedad de recetas deliciosas y nutritivas.

El maíz

2   El maíz es el ingrediente más importante de la comida de Guatemala. Se usa desde tiempos antiguos. Es un alimento tan importante, que los mayas lo llamaron "el alimento sagrado". En el *Popol Vuh*, el libro sagrado maya, se dice que las personas son de maíz.

3   Los guatemaltecos comen la mazorca de maíz. El "elote", como se le llama en Guatemala, se puede comer con chile, jugo de limón y mantequilla.

4   Con el maíz se hacen las tortillas que los guatemaltecos comen en todas sus comidas. ¡Una comida no está completa si no hay tortillas en la mesa!

5   El tamal es una comida típica de Guatemala que se prepara con masa de maíz. El tamal lleva carne o pollo adentro de la masa y una salsa. La masa se envuelve en una hoja de mazorca y se cocina al vapor.

Mazorcas de maíz

Los frijoles

6   Los frijoles son muy importantes para los guatemaltecos, y se comen en todas las comidas. Los frijoles negros son los que más se comen. Se comen con tortillas y arroz blanco.

Las bebidas

7   Los guatemaltecos beben muchos jugos de frutas, porque en Guatemala hay muchas frutas tropicales. Las frutas que más se comen o beben son la papaya, el mango, el plátano y la piña.

8   El chocolate caliente también se bebe mucho en Guatemala. El chocolate se hace con las semillas del árbol de cacao. Los mayas cultivaban este árbol desde antes de la llegada de los españoles a Guatemala.

9   Como el maíz es tan importante en Guatemala, también hay una bebida de maíz: el atol de elote. Esta bebida se prepara con maíz molido, agua, azúcar y canela. El atol se bebe caliente y es perfecto para las noches frías.

Vendedora de mangos

Vendedora de jugos

Comprendo lo que leí

1. ¿Cómo llamaron los mayas al maíz?

   a. alimento antiguo

   b. alimento de elote

   c. alimento sagrado

2. ¿Qué es el *Popol Vuh*?

   a. una comida de Guatemala

   b. el libro sagrado de los mayas

   c. una persona de maíz

3. ¿Con qué se comen los frijoles negros en Guatemala?

   a. con limonada y zanahoria

   b. con yogur, toronja y cacao

   c. con tortillas y arroz blanco

4. ¿Qué es el atol de elote?

   a. una bebida hecha de maíz

   b. una bebida hecha de frijoles

   c. una bebida hecha de chocolate

5. Los jugos de frutas tropicales son…

   a. comunes en Guatemala.

   b. escasos en Guatemala.

   c. cubiertos en Guatemala.

6. ¿Por qué es importante el maíz para los guatemaltecos? ¿Crees que es importante también en Estados Unidos? Explica.

Así se dice

Los **cognados** son palabras similares en inglés y en español, tanto en la manera como se escriben como en su significado. Estas palabras ayudan a entender las lecturas.

➤ interesante / *interesting*   ➤ celebrar / *celebrate*

1. Escribe los cognados en inglés de las siguientes palabras.

limón   tropicales   chile   importante

Recuerda que los **sinónimos** son palabras que tienen significados iguales o muy parecidos.

➤ casa: hogar, vivienda   ➤ gente: personas

2. Escoge el sinónimo de la palabra subrayada en las oraciones.

- Los mayas <u>cultivaban</u> muchos alimentos.

   a. sembraban   b. compraban

- El maíz se usa desde tiempos <u>antiguos</u>.

   a. modernos   b. viejos

- El tamal es una comida <u>típica</u>.

   a. tradicional   b. deliciosa

- Con el <u>maíz</u> se hace el tamal.

   a. frijol   b. elote

3. Busca la palabra que significa lo mismo en la lectura. El número dice en qué párrafo está la palabra.

   a. notas con los ingredientes y forma de preparar platos de cocina (1)

   b. esta comida tiene carne o pollo adentro de la masa (5)

   c. la bebida de maíz de Guatemala (9)

4. Usa las palabras de la actividad anterior para completar las oraciones.

   a. Cuando bebo _____ se me quita el frío.

   b. El _____ de pollo es mi favorito.

   c. Mi mamá tiene muchas _____ de postres.

Así se escribe

La **ll** se forma con dos letras l. No tiene el sonido /l/. Tiene el sonido /y/.
Además, el significado de la palabra cambia según la letra.

➤ Abre la casa con la <u>ll</u>ave.

➤ Por favor, <u>l</u>ave la ropa.

1. Completa las palabras con *ll* o *l*.

   a. mantequi   a   c. co   or   e. chi   e
   b.   uego   d. semi   a   f. po   o

La **terminación de los verbos** indica el tiempo: si algo ya pasó (**pasado**), si algo pasa ahora (**presente**) o si algo aún no ha pasado (**futuro**).

➤ Pasado: Yo com**í** un tamal.

➤ Presente: Yo com**o** un tamal.

➤ Futuro: Yo com**eré** un tamal.

2. Identifica si el verbo está en presente, pasado o futuro en las oraciones.

   a. Los mayas cultivaron el árbol de cacao.

   b. Los guatemaltecos comen mucho maíz.

   c. La gente en Guatemala bebe jugos.

3. Completa las oraciones con el verbo correcto.

   | bebió | comimos | preparé |

   a. Carlos _____ un jugo de naranja en el desayuno.

   b. Nosotros _____ tamal guatemalteco.

   c. Yo _____ pollo con verduras.

A escribir

● ¿Cuál es tu comida favorita? Escribe un párrafo.

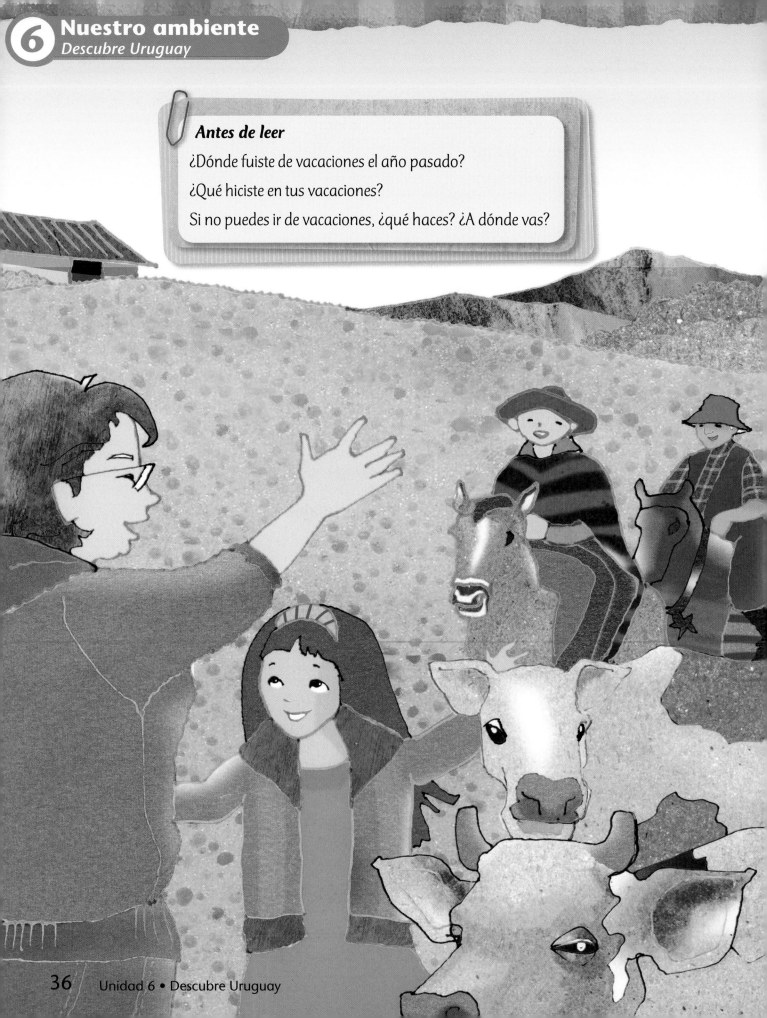

Antes de leer

¿Dónde fuiste de vacaciones el año pasado?

¿Qué hiciste en tus vacaciones?

Si no puedes ir de vacaciones, ¿qué haces? ¿A dónde vas?

La idea de Laura

María Á. Pérez

1   El año pasado Laura, su hermano Ernesto y sus padres fueron de vacaciones a Punta del Este. Tomaron el sol, nadaron en el mar y jugaron en la playa. Fueron unas vacaciones muy divertidas, pero este año sus padres no hablaban de vacaciones. Una mañana, durante el desayuno, Laura preguntó:

    —¿Vamos otra vez a Punta del Este?

    —No sé, hija —contestó la mamá.

    —No tenemos dinero para vacaciones —explicó el papá.

2   Laura y Ernesto se quedaron en silencio. Sus padres tenían un restaurante en el Mercado del Puerto, en Montevideo. Era un restaurante muy famoso por sus asados.

    —Parece que los clientes quieren algo diferente y ya no vienen —respondió la mamá.

    —¡No se preocupen, hijos! —dijo el papá.

3   Los padres de Laura y Ernesto no querían que sus hijos se quedaran sin vacaciones y los enviaron a casa de los abuelos. Los abuelos vivían en un pueblo de la Pampa, en el interior de Uruguay. Allí tenían una estancia con ganado.

4   A Ernesto le gustaba mucho la estancia, pero Laura extrañaba la ciudad.

    —Abuela, quiero pasear por la ciudad —le dijo un día Laura a la abuela.

    —Tengo una idea mejor —respondió la abuela—. Vamos a tener un asado.

5   Laura ayudó a su abuela a hacer el "chimichurri", la salsa que acompaña el asado. Luego pusieron la mesa. Más tarde llegaron Ernesto y el abuelo con la carne para el asado. El abuelo traía también varios troncos.

—¿Qué es eso, abuelo? —preguntó Laura y señaló los troncos.

—Es leña de coronilla —contestó el abuelo—. Es muy buena para los asados porque arde durante mucho rato. Además, le da un sabor especial a la carne.

6   Laura escuchó con atención a su abuelo.

—¡Tengo una idea! —dijo Laura—. Si papá y mamá usan leña de coronilla, el asado tendrá un sabor diferente.

7   Laura y Ernesto llamaron a sus padres y les contaron su idea. ¡Es posible que el próximo año sí vayan todos de vacaciones a Punta del Este!

Comprendo lo que leí

1. El restaurante de los padres de Laura y Ernesto es famoso por…

    a. sus desayunos.

    b. su salsa chimichurri.

    c. sus asados.

2. Este año, los padres de Laura y Ernesto no pueden…

    a. trabajar en el restaurante.

    b. ir a la estancia de los abuelos.

    c. ir de vacaciones.

3. Laura ayuda a su abuela a hacer una salsa llamada…

    a. jugo de naranja.

    b. chimichurri.

    c. leña de coronilla.

4. Los abuelos de Laura y Ernesto tienen…

    a. un restaurante.

    b. una estancia.

    c. un colegio.

5. ¿Qué pasa cuando se asa la carne con la leña de coronilla?

    a. Tiene un sabor especial.

    b. Tiene un color diferente.

    c. Tiene un olor saludable.

6. ¿Qué pasa cuando Laura explica su idea a sus padres? ¿Puede ir la familia de vacaciones ahora? Explica.

Recuerda que cuando hay dos vocales juntas, una fuerte (**a, e, o**) y una débil (**i, u**), se forma un **diptongo**. Cuando hay dos vocales débiles (**i, u**), también se forma un diptongo. Los diptongos se pronuncian en una sola sílaba.

➤ una vocal fuerte y una débil: vieja (**vie**-ja) aire (**ai**-re)

➤ dos vocales débiles: ciudad (c**iu**-dad) ruido (r**ui**-do)

1. Separa las palabras en sílabas. Identifica las sílabas con diptongos.

   a. clientes

   b. especial

   c. restaurante

   d. vacaciones

   e. abuelos

   f. patio

   g. Laura

   h. enviaron

   i. fuiste

   j. tiempo

Recuerda que los **cognados** son palabras similares en inglés y en español, tanto en la manera como se escriben como en su significado. Estas palabras ayudan a entender las lecturas.

➤ interesante / *interesting*   ➤ celebrar / *celebrate*

2. Escribe los cognados de las siguientes palabras.

   posible   restaurante   vacaciones   famoso

3. Busca la palabra que significa lo mismo en la lectura. El número dice en qué segmento está la palabra.

   a. carne cocinada a la parrilla, estilo uruguayo (5)

   b. las personas que van a un lugar a comprar algo (2)

   c. llanura sin árboles y muy grande (3)

4. Usa las palabras de la actividad anterior para completar las oraciones.

   a. Los abuelos viven en la   .

   b. El restaurante de Laura se llenó de   .

   c. El   con chimichurri está delicioso.

Así se escribe

Las **conjunciones** son palabras que unen dos o más frases o palabras dentro de la oración. Algunas conjunciones son: **y, pero**.

➤ Ernesto nada en el agua **y** toma el sol.

➤ La comida del restaurante es buena, **pero** la gente quiere algo diferente.

1. Completa las oraciones con *y* o *pero*.

   a. Era un restaurante de mucho éxito ____ muy famoso.

   b. Los padres no fueron de vacaciones, ____ no dejaron sin vacaciones a sus hijos.

   c. Ernesto ____ Laura son hermanos.

   d. El asado era bueno, ____ con la idea de Laura va a ser mejor.

Recuerda que la **terminación de los verbos** indica el tiempo: si algo ya pasó (**pasado**), si algo pasa ahora (**presente**) o si algo aún no ha pasado (**futuro**).

➤ Pasado: Yo comí un tamal.

➤ Presente: Yo como un tamal.

➤ Futuro: Yo comeré un tamal.

2. Completa las oraciones con el verbo correcto.

viajó   visitaron   viajaron   llegaron

   a. Ernesto y Laura ____ a sus abuelos en la estancia.

   b. El año pasado, la familia ____ a Punta del Este de vacaciones.

   c. Ernesto y Laura ____ a la Pampa, en el interior del país.

   d. Los clientes ____ al restaurante en Montevideo.

A escribir

● Piensa en la idea de Laura. ¿Crees que fue una buena idea? ¿Por qué? Escribe un párrafo.

Antes de leer

¿Qué son los jeroglíficos?

¿Cómo son los jeroglíficos diferentes a un alfabeto de letras?

¿Por qué crees que hay muchos sistemas diferentes de escritura?

Representación de ofrenda de maíz

Números mayas del 0 al 29

Jeroglíficos mayas

La misteriosa escritura maya

María Á. Pérez

1   En las civilizaciones modernas usamos alfabetos de letras para escribir y comunicarnos. Las letras que estás leyendo en esta página, por ejemplo, vienen del alfabeto latino que, a su vez, vienen del alfabeto griego. La mayoría de los alfabetos modernos tienen su origen en un alfabeto que se inventó hace cuatro mil años.

2   Las civilizaciones antiguas, como los mayas, no usaban alfabetos de letras. Usaban "jeroglíficos", es decir, dibujos o símbolos para escribir y para representar números.

3   La escritura y las matemáticas de los mayas eran muy avanzadas. Sin embargo, cuando los españoles llegaron a América, a principios del siglo dieciséis, todo cambió. Los españoles establecieron escuelas donde los mayas aprendieron latín y español, y a escribir con el alfabeto de letras. Con el paso del tiempo, los mayas olvidaron su escritura. Por eso, cuando los arqueólogos descubrieron los jeroglíficos mayas 300 años después (a fines del siglo dieciocho), no entendían lo que significaban y no podían leerlos.

Los números mayas

4   El primero en "descifrar", o comprender, los números mayas fue Constantino Rafinesque, un científico europeo. Él identificó los tres símbolos que representan números: un punto era el uno, una raya era el cinco y una concha era el cero. Fue un descubrimiento muy importante para entender las matemáticas de los mayas.

La escritura maya

5   En el siglo veinte los arqueólogos se dieron cuenta que no todos los jeroglíficos mayas representaban una palabra completa. Algunos representaban un sonido, como las letras de nuestro alfabeto, y otros representaban una sílaba. Con este descubrimiento descifraron algunos jeroglíficos, pero no todos.

6   A David Stuart le fascinaban los jeroglíficos mayas. David comenzó sus estudios de los jeroglíficos a los ocho años. Cuando tenía sólo doce años, presentó su primer trabajo científico sobre la escritura maya. Más tarde, se convirtió en arqueólogo y profesor de arqueología maya, en Texas.

7   El trabajo de David para descifrar los jeroglíficos mayas no fue fácil. En su libro *Ten Phonetic Syllables,* publicado en 1987, él describe con gran detalle cada signo que descubrió y su significado. Descubrió que las palabras mayas se escribían de varias maneras, porque usaban diferentes símbolos para escribir el mismo sonido. En español hacemos algo similar con algunas letras. Por ejemplo, *b*ota y *v*ota tienen el mismo sonido, pero se escriben con letras diferentes.

8   Gracias a David, hoy podemos leer muchos jeroglíficos mayas. Pero todavía hay jeroglíficos por descifrar. ¿Quién será la próxima persona que descubrirá cómo descifrarlos? ¿Serás tú?

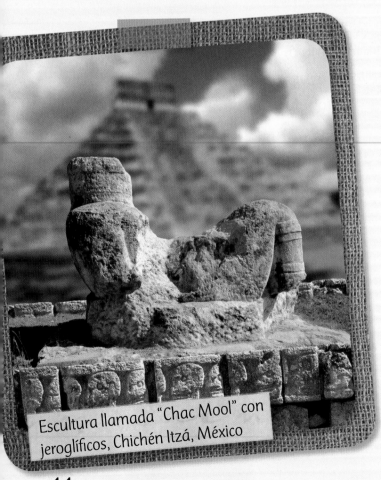

Escultura llamada "Chac Mool" con jeroglíficos, Chichén Itzá, México

Comprendo lo que leí

1. ¿Qué son los jeroglíficos?

   a. Son dibujos para tener en las paredes.

   b. Son dibujos o símbolos para escribir y hacer números.

   c. Son el alfabeto latino y griego.

2. Constantino Rafinesque descubrió cómo leer…

   a. los números mayas.

   b. las letras griegas.

   c. los números incas.

3. ¿Qué descubrió David Stuart sobre los mayas?

   a. que usaban diferentes alfabetos para escribir la misma cosa

   b. que usaban diferentes sonidos y cada uno tenía un símbolo

   c. que usaban diferentes símbolos para escribir el mismo sonido

4. En su sistema de números, los mayas usaban…

   a. el latín.

   b. el alfabeto.

   c. el cero.

5. ¿Por qué se olvidó la escritura maya?

   a. porque sólo se enseñaba el español en las escuelas

   b. porque nadie entendía a los españoles en las escuelas

   c. porque sólo se enseñaba el griego en las escuelas

6. ¿Crees que las civilizaciones futuras tendrán dificultades para entender nuestro sistema de escritura? Explica.

Así se dice

> Los **prefijos** son un grupo de letras que se ponen delante de una palabra. Estas letras cambian el significado de la palabra. El prefijo **des–** cambia el significado a lo opuesto de algo.
>
> ➤ conectar / **des**conectar   ➤ acuerdo / **des**acuerdo   ➤ aparecer / **des**aparecer

1. Separa el prefijo *des–* de la raíz de las palabras. Luego, busca las palabras en el diccionario. Busca con prefijo y sin prefijo.

> descubrir   descifrar
>
> desconocer   desanimar

> Las **letras** en español a veces tienen sonidos parecidos.
>
> ➤ **j/g** = **j**ardín/**g**eranio

2. Escoge el sonido de *j* o *g*.

   a. jeroglífico / geroglífico

   b. orijen / origen

   c. gente / jente

   d. frigol / frijol

3. Busca la palabra que significa lo mismo en la lectura. El número dice en qué párrafo está la palabra.

   a. símbolos o dibujos que significan algo (2)

   b. las personas que estudian las civilizaciones antiguas (3)

   c. una persona mostró a mucha gente algo que no conocían (6)

4. Usa las palabras de la actividad anterior para completar las oraciones.

   a. Mi familia estudia los jeroglíficos mayas, ellos son _____.

   b. Los _____ no son alfabetos de letras.

   c. David Stuart _____ su primer trabajo científico a los doce años.

Las **letras** en español a veces tienen sonidos parecidos, pero se escriben de manera diferente.

➤ **b/v** = **b**urro/**v**ela

1. Completa las palabras con *b* o *v* en estas oraciones.

   a. La ci___ilización maya era muy a___anzada.

   b. Los mayas usaban sím___olos para escri___ir.

   c. Las letras que conocemos hoy ___ienen del alfa___eto latino.

   d. Toda___ía hay jeroglificos por descifrar.

Recuerda que los **verbos regulares** son los que mantienen la misma raíz en todos los tiempos.

ganar: **gan**o, **gan**é, **gan**arás

caminar: **camin**o, **camin**aré, **camin**arás

Recuerda que los **verbos irregulares** son los que cambian su raíz.

decir: **dig**o, **dij**e, **dir**ás

tener: **teng**o, **tu**ve, **tend**ré

---

2. Escoge la raíz del verbo subrayado en las oraciones. Identifica si es regular o irregular.

ser   tener   poder   usar   fascinar

   a. Los mayas <u>tenían</u> una civilización avanzada.

   b. Los mayas no <u>usaban</u> letras.

   c. La escritura <u>fue</u> un adelanto importante.

   d. Rafinesque <u>pudo</u> descifrar los números.

   e. Me <u>fascina</u> la civilización maya.

A escribir

● ¿Cómo serán las investigaciones mayas en el futuro? ¿Qué descubrirán los arqueólogos? Escribe un párrafo.

Antes de leer

¿Qué fiestas celebras en verano?

¿Qué fiestas celebras en invierno?

¿Cómo celebras estas fiestas?

Mapa del Imperio Inca

El Gran Inca hace una ofrenda al dios sol

El Inti Raymi: La Fiesta del Sol

María Á. Pérez

1   Hay dos días en el año donde la posición del sol afecta a la tierra. Estos dos días se llaman solsticios. Los solsticios son muy importantes para los pueblos que viven de la agricultura, porque las cosechas dependen del sol.

2   Hay dos solsticios al año. El 21 de junio es el solsticio de verano, que marca el comienzo del verano. El 21 de diciembre es el solsticio de invierno, que marca el comienzo del invierno. Desde hace miles de años, muchos pueblos en todo el mundo celebran los solsticios con grandes fiestas.

3   El 21 de junio es el comienzo del verano en los países que están al norte del ecuador y es el comienzo del invierno en los países al sur del ecuador.

4   En el invierno las noches son más largas y los días más cortos y fríos. No hay mucho sol. No es buena época para sembrar porque las plantas necesitan sol y calor. Los cultivos de maíz, papas, tomates y frijoles no pueden crecer ni dar fruto si no hay sol. Estos alimentos eran muy importantes para los incas. Sin el sol, los incas no podían plantar sus cultivos.

Festival Inti Raymi, donde se representa a El Sapa Inca o Gran Inca

5   Por eso los pueblos que eran parte del imperio inca, en la cordillera de los Andes, celebraban el solsticio que comenzaba el 21 de junio con un gran festival. Este festival se llamaba "Inti Raymi", que significa "Fiesta del Sol".

6   En esta fiesta, los habitantes de los Andes se reunían en sus ciudades para llevar ofrendas al sol. Al presentar estos regalos al sol, le pedían que por favor regresara para calentar la Tierra.

7   Hoy día el Inti Raymi es una celebración muy importante en Ecuador, Perú y Bolivia. Perú y Bolivia están al sur del ecuador y, para ellos, el 21 de junio es el comienzo del invierno.

8   En Ecuador, sin embargo, el 21 de junio es el comienzo del verano, como para nosotros en Estados Unidos. En Ecuador la festividad del Inti Raymi se celebra en distintas regiones y ciudades del país. La celebración dura varios días en los que hay desfiles, música y bailes. También se comen los alimentos típicos de la región para agradecer la abundancia de la tierra.

9   De esta manera se sigue una tradición que tiene miles de años y que nos recuerda la importancia de la naturaleza y de las estaciones.

Celebración en el Templo del Sol

1. ¿Qué nos recuerda la celebración de Inti Raymi?

   a. que debemos comenzar a sembrar

   b. que debemos comer, bailar y celebrar

   c. que la naturaleza es muy importante

2. ¿Cuándo comienza el invierno en los países al sur del ecuador?

   a. el 21 de junio

   b. el 21 de diciembre

   c. el 21 de enero

3. ¿Qué le pedían los habitantes de los Andes al sol?

   a. que no regresara para que no haya calor

   b. que regresara a comer, bailar, y desfilar

   c. que regresara para calentar la Tierra

4. La fiesta del Inti Raymi la celebran Perú, Ecuador y…

   a. Argentina.

   b. Bolivia.

   c. Guatemala.

5. Los solsticios marcan el comienzo del invierno y…

   a. de la primavera.

   b. del verano.

   c. del otoño.

6. ¿Por qué son importantes los solsticios para la agricultura?

Así se dice

> **Recuerda** que los **antónimos** son palabras que tienen significados opuestos.
>
> ➤ fácil / difícil   ➤ subir / bajar   ➤ detrás / delante

1. Escoge el antónimo de la palabra subrayada en las oraciones. Usa el diccionario.

   - Las estaciones nos indican cuándo debemos <u>sembrar</u>.

     a. cosechar   b. plantar

   - Los solsticios marcan el <u>comienzo</u> del invierno y del verano.

     a. inicio   b. final

   - Los incas se reunían para <u>llevar</u> ofrendas al Sol.

     a. traer   b. dar

2. Escoge el sinónimo de la palabra subrayada en las oraciones. Usa el diccionario.

   - El sol puede <u>afectar</u> a la tierra.

     a. perjudicar   b. favorecer

   - El sol va a <u>regresar</u> cada verano.

     a. marcharse   b. volver

   - Es una fiesta para <u>recordar</u> la importancia de la naturaleza.

     a. acordarse   b. olvidar

3. Busca la palabra que significa lo mismo en la lectura. El número dice en qué párrafo está la palabra.

   a. frutos que se recogen de la tierra (1)
   b. seres vivos sujetos a la tierra, que necesitan del sol para crecer (4)
   c. las cuatro épocas del año (9)

4. Usa las palabras de la actividad anterior para completar las oraciones.

   a. Las _____ tienen muchas flores en primavera.
   b. Las _____ de los agricultores son importantes para todos.
   c. Me gusta vivir en un lugar que tiene las cuatro _____.

> **Recuerda** que las **oraciones** tienen dos partes: **sujeto** y **predicado**. El sujeto es la persona, objeto o animal del que se habla en la oración. El predicado es lo que se dice del sujeto.
>
> ➤ Los incas celebran el Inti Raymi.
>
> Sujeto: los incas   Predicado: celebran el Inti Raymi

1. Identifica el sujeto y el predicado en estas oraciones.

   a. Los incas decidieron hacerle una fiesta al sol.

   b. Los solsticios indican el comienzo del invierno y verano.

   c. La gente en Ecuador celebra con desfiles, música y bailes.

> **Recuerda** que **los adverbios** son palabras que modifican el significado de un verbo y dicen **de qué modo** se hace algo, **dónde** se hace, **cuándo** se hace o **cómo** pasa.
>
> ➤ Los incas celebran **mañana** el Inti Raymi.
>
> ➤ Los habitantes se reúnen **aquí** todos los años.

2. Identifica los adverbios en estas oraciones.

   a. Los niños comen alegremente los alimentos típicos.

   b. Los habitantes piden que el sol regrese pronto a sus tierras.

   c. En las fiestas la gente baila bastante y disfruta mucho.

3. Completa las oraciones con el verbo correcto.

llevaron	celebra	celebraron

   a. Hace siglos, los incas _____ el primer Inti Raymi.

   b. Hoy día, en Ecuador se _____ el Inti Raymi.

   c. En esa primera fiesta, los incas _____ regalos.

A escribir

● Piensa en tu celebración o día festivo favorito. ¿Cómo se celebra? Escribe un párrafo.

Antes de leer

¿Qué mascotas conoces?

¿Qué mascotas te gustan? ¿Por qué?

¿Qué necesitan las mascotas?

Reunión de mascotas

Omar Nicosia
adaptación

Personajes

Miki, perro

Eusebio, gato

Trini, canaria

Augusto, conejo

Yiyo, hámster

Bruno, pez

Mujer, dueña de Miki

1 *Una plaza de barrio. Junto a un árbol está el perro Miki. Mira hacia un lado y hacia otro y da vueltas en un mismo lugar.*

Miki. ¡Qué raro! ¡Mis dueños todavía no han venido a buscarme!… ¿Se habrán confundido de plaza?

5 *Entran el gato Eusebio, la canaria Trini, el conejo Augusto y el hámster Yiyo. Eusebio lleva sobre el lomo una pecera en la que viaja el pez Bruno. El grupo se detiene junto al árbol donde está Miki.*

Augusto. (*A Miki.*) ¡Hola! ¿Cómo te llamas?

10 Miki. Me llamo Miki.

Trini. ¿Vienes a la reunión?

Miki. ¿A la reunión? ¿Qué se celebra?

Yiyo. (*A Bruno.*) Ahhh… Pero entonces, éste no sabe nada…

Bruno. ¿Y tú por qué estás acá, se puede saber?

15 Miki. Yo… estoy esperando que mis dueños vengan a
     buscarme. (*Todos se miran entre sí.*)

Augusto. Ahhh… ¿Y hace mucho que esperas?

Miki. Hace más de una hora.

Eusebio. (*A sus amigos.*) Tenemos que decírselo.

20 Miki. (*Nervioso.*) ¿Decirme qué?

Augusto. Mira, Miki, a nosotros nos pasó lo mismo que
     a ti. Somos mascotas abandonadas por sus dueños.

Miki. (*A punto de llorar.*) ¿Mascotas abandonadas?
     Mis dueños no serían capaces de hacerme eso.

25 Eusebio. Las personas no son todas malas. Pero algunas
     creen que somos juguetes. Y cuando se cansan de
     nosotros, nos dejan en una placita como ésta.

Miki. (*Muy enojado.*) ¡Hay que hacer algo!

AUGUSTO. Para llamar la atención de la gente, vamos a

30   presentar un show. Por eso estamos aquí, para organizar

la presentación.

TRINI. Cada uno va a mostrar lo que sabe hacer…

YIYO. Y al final, pintamos y repartimos volantes que digan:

"Las mascotas no somos juguetes. No nos abandonen".

35 MIKI. ¡Muy bien! Yo digo que empecemos ahora.

(*En ese momento se escucha una voz de mujer.*)

MUJER. ¡Miki! ¡Ven mi perrito que ya es tarde!

MIKI. (*Muy contento.*) ¡Me vinieron a buscar! (*Miki sale de
la escena corriendo.*)

40 BRUNO. Ah, claro, muy bonito… Iba a ayudarnos
y desaparece.

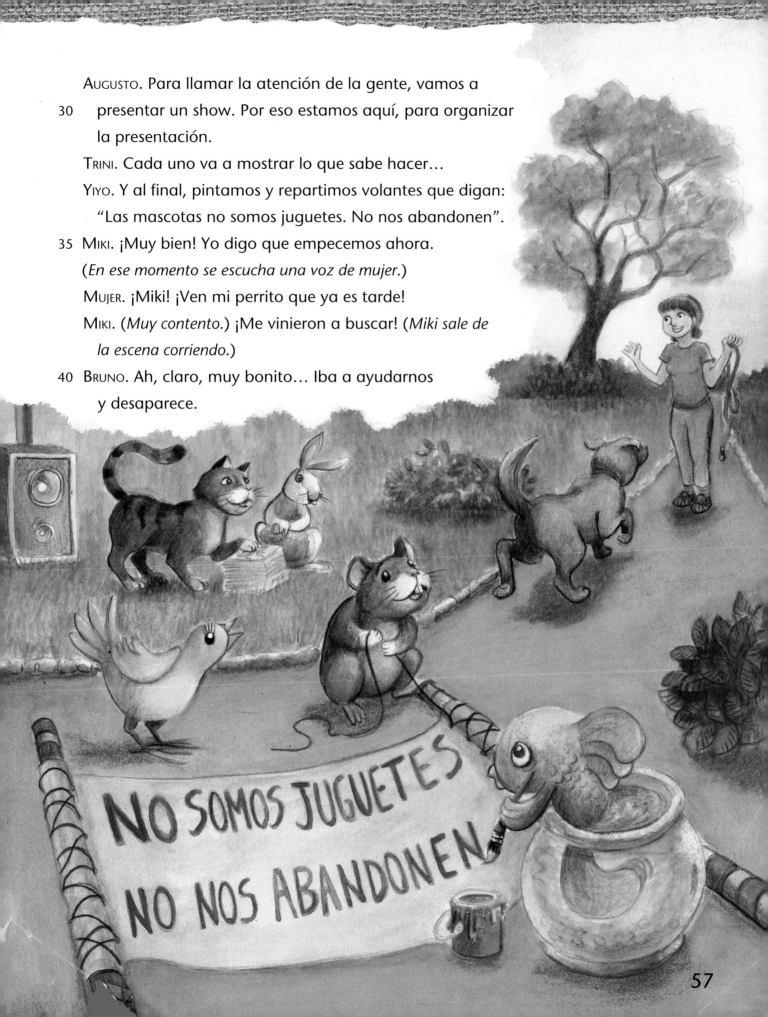

MIKI. (*Entra sorpresivamente.*) ¡Escuchen! ¡Tengo buenas noticias! Les conté todo a mis dueños. Ellos tienen una casa muy grande y adoran a las mascotas. Así que… ¡todos vienen conmigo!

45 TODOS. ¡¡¡Bieeeeeen!!! ¡¡¡Vamos!!!

MIKI. Un momentito. Antes, vamos a hacer el show. No se olviden que muchas mascotas no tienen nuestra suerte.

AUGUSTO. Eso es cierto. ¡Que comience la función!

50 *Las mascotas muestran sus habilidades. La gente se acerca entusiasmada. Y luego todas las mascotas se van a su nuevo hogar.*

LAS MASCOTAS

NO SOMOS JUGUETES
NO NOS ABANDONEN

Comprendo lo que leí

1. ¿Cómo se siente Miki mientras espera a sus dueños?

   a. tranquilo

   b. nervioso

   c. contento

2. Las mascotas de la obra...

   a. fueron abandonadas.

   b. viven con sus dueños.

   c. se escaparon.

3. ¿Por qué van a adoptar los dueños de Miki
   a las mascotas?

   a. porque les gustó el show

   b. porque abandonaron a Miki

   c. porque las quieren

4. ¿Cómo se siente Miki cuando escucha que su dueña
   lo busca?

   a. muy enojado

   b. muy contento

   c. nervioso

5. ¿Qué cree Eusebio sobre las personas?

   a. que todas son malas

   b. que todas son buenas

   c. que no todas son malas

6. ¿Qué mensaje quieren dar las mascotas a
   las personas?

Así se dice

Los **antónimos** son palabras que tienen significados opuestos.

➤ fácil / difícil   ➤ subir / bajar   ➤ detrás / delante

1. Escoge el antónimo de las palabras.

recordar   tranquilo   pequeño   terminar

a. grande
b. olvidar

c. empezar
d. nervioso

Los **prefijos** son un grupo de letras que se ponen delante de una palabra. Estas letras cambian el significado de la palabra. El prefijo **des**— cambia el significado de la palabra a lo opuesto de algo.

➤ conectar / **des**conectar   ➤ acuerdo / **des**acuerdo   ➤ aparecer / **des**aparecer

2. Añade el prefijo *des-*. Busca en el diccionario el significado de la nueva palabra.

a. cuidar

b. organizar

c. pintar

3. Busca la palabra que significa lo mismo en la lectura. El número dice en qué segmento está la palabra.

a. personas que tienen o poseen algo (1)

b. animales que se tienen en la casa (20)

c. representación de un espectáculo (45)

4. Usa las palabras de la actividad anterior para completar las oraciones.

a. Durante la _____, las mascotas bailaron y cantaron.

b. Las _____ estaban tristes porque habían sido abandonadas.

c. Los _____ de Miki no se olvidaron de él.

Así se escribe

El verbo **ser** se usa para hablar de una condición permanente.

➤ Inés **es** la vecina de Óscar.   ➤ Las casas de mis vecinos **son** grandes.

➤ Yo **soy** Óscar.

1. Completa las oraciones con el verbo *ser*.

soy   somos   son   es   eres

a. Las mascotas _____ inteligentes.

b. Eusebio _____ amigo de Bruno.

c. Yo _____ bueno con las mascotas.

d. Nosotros no _____ juguetes.

e. Tú _____ una mascota del barrio.

Los **adjetivos** son palabras que describen cómo son las personas, lugares, animales y objetos.

➤ un señor **alto**   ➤ una tienda **grande**

➤ el león **viejo**   ➤ una carta **importante**

2. Identifica los adjetivos en estas oraciones.

a. Mɪᴋɪ. (*Muy enojado.*) ¡Hay que hacer algo!

b. Mɪᴋɪ. (*Nervioso.*) ¿Decirme qué?

c. Somos mascotas abandonadas.

d. Ellos tienen una casa muy grande.

e. Las personas no son todas malas.

A escribir

● Los volantes decían: "Las mascotas no somos juguetes. No nos abandonen".
¿Qué significa esto? Escribe un párrafo.

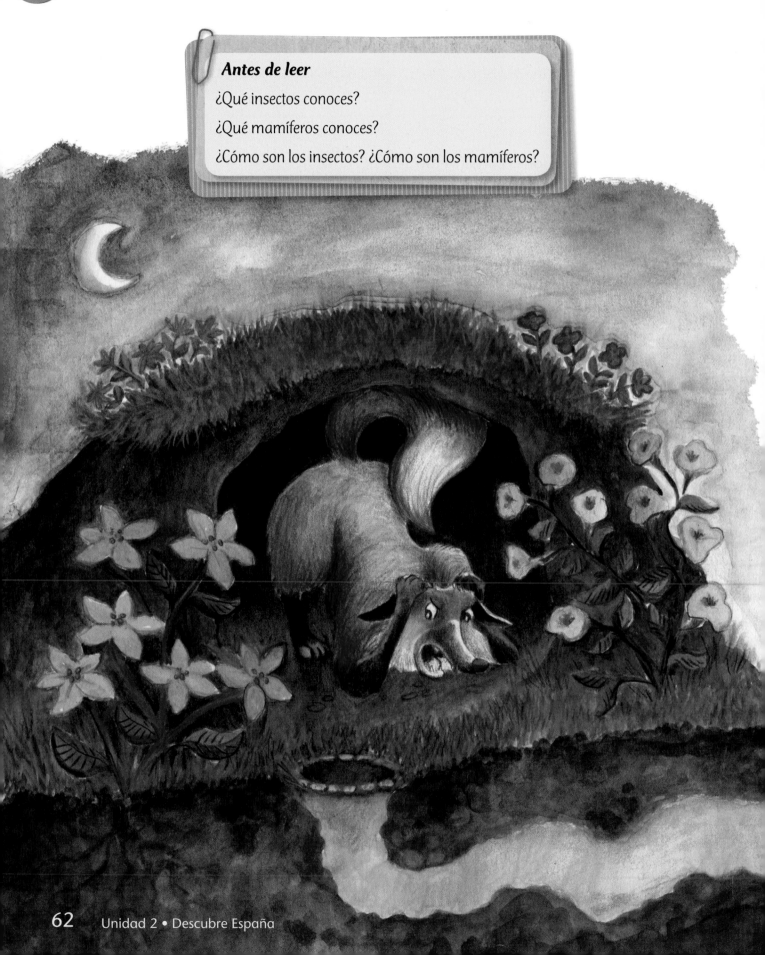

Antes de leer

¿Qué insectos conoces?

¿Qué mamíferos conoces?

¿Cómo son los insectos? ¿Cómo son los mamíferos?

La batalla
versión de un cuento folclórico español

1   Era verano en el campo, y cuando es verano, el campo se llena de muchas cosas brillantes —como las enormes estrellas en la noche—, de muchas cosas olorosas —como los frutos y las flores tardías—, de muchas cosas luminosas —como el sol que alarga su siesta hasta muy tarde— y de una sola cosa ruidosa: el grillo que vivía en un agujero, justo, justo en la puerta de la cueva del zorro.

2   Y, si bien el grillo se pasaba toda la noche haciendo cri-cri-cri y de nuevo cri-cri-cri, el zorro no estaba tan silencioso que digamos: ¡se pasaba la noche gritando amenazas al pobre grillo que no lo dejaba dormir!

—¡Te vas a callar de una buena vez! ¡Si no te callas, ya vas a ver!

3   El grillo, inmutable.

—Cri-cri-cri —salía de su agujerito con un ritmo feliz y despreocupado, como si los zorros enojados fueran personajes imaginarios de las fábulas y no personajes serios, muy serios y, cuando están furiosos, un peligro mayor para grillos cantores.

63

4   Un día pasó lo que todos en el campo esperaban que pasara. El zorro dijo ¡basta! y le declaró la guerra al grillo. Y ya que estaba en eso, le declaró la guerra a todos los animales de muchas patas, sin preocuparse si eran cantores o no.

5   Como el zorro era astuto, decidió que lo mejor sería llamar a la batalla a todos los animales de cuatro patas para que fueran sus aliados. Parece que la guerra era una cuestión de matemáticas.

6   El grillo, enterado de esta terrible alianza, se dijo: "Mejor varias patitas flaquitas que saben tocar violín, que cuatro patas que solo sirven para rondar por el gallinero". Estaba enojado, pero igual no se olvidaba de cantar cri-cri-cri todas las noches.

7   Lo primero que hizo el grillo fue llamar a las chinches, a las pulgas, a las garrapatas, a las avispas, a los mosquitos, a las arañas, a los piojos, a las tarántulas y a todos los animales con muchas patas. Cuando llegaron, el grillo estaba orgulloso: ¡todos sus amigos habían venido! Pidió silencio y luego anunció:

—El zorro nos ha declarado la guerra.

8   Un rumor corrió por el prado donde se habían reunido.
El grillo pidió silencio otra vez:

—Calma, amigos. Se me ha ocurrido una idea muy
interesante…

9   La idea era tan audaz que muchos animalitos
vacilaron… ¡pero eran muy valientes y la pusieron
en práctica!

10   Esa misma noche, las chinches, las pulgas, las
garrapatas y los piojos se escondieron entre los pelos
de los osos, los lobos, los zorros y los animales de cuatro
patas. Allí, bien escondidos, escucharon lo que el zorro
decía a sus aliados:

—Si la batalla está ganada llevaré la cola levantada.
Si la batalla está perdida llevaré la cola caída.

11   Era una noticia importante. El grillo, al enterarse, dijo
que tenía otra idea también interesante. Los animalitos
temblaron… ¡la primera idea había sido difícil de cumplir!
El grillo los tranquilizó y comenzó a explicarles el próximo
plan. Por fin, llegó el día de la batalla. Todos estaban
preparados. Los animales de cuatro patas seguían con la
vista la cola del jefe zorro, de acuerdo con lo que habían
acordado. Los animalitos de muchas patas pusieron
en marcha la segunda e interesante idea
de su jefecito el grillo.

12   Apenas comenzaron la pelea, las avispas se colocaron debajo de la cola del zorro y lo picaron y picaron con todas sus fuerzas.

13   El zorro estaba desesperado: si bajaba la cola, sus animales se retirarían de la lucha, creyendo la batalla perdida; por otra parte, si seguía con la cola levantada, ni toda el agua del río iba a calmarle la picazón que estaba sintiendo… ¡No sabía qué hacer!... Corría y corría, y aguantaba el dolor hasta que, corriendo hacia el río gritó con todas sus fuerzas, mientras bajaba la cola:

—Al río, al río, soldados míos, que la batalla la ganó el grillo.

14   Los animalitos de muchas patas no lo podían creer: ¡habían ganado! Y, desde ese día, el grillo pudo cantar todas las noches y fue feliz, mientras el zorro se ponía paños fríos y lo escuchaba, resignado.

Comprendo lo que leí

1. ¿Cómo era el grillo?

   a. luminoso

   b. ruidoso

   c. tardío

2. ¿Por qué estaba enojado el zorro con el grillo?

   a. porque vivía en su cueva

   b. porque no le dejaba dormir

   c. porque le gritaba

3. ¿A quién le declaró la guerra el zorro?

   a. al grillo

   b. al grillo y a todos los animales de muchas patas

   c. a los animales de cuatro patas

4. ¿Qué hicieron los animales de muchas patas para escuchar los planes del zorro?

   a. Cantaron toda la noche cri-cri-cri.

   b. Se reunieron en el prado.

   c. Se escondieron entre los pelos de los animales de cuatro patas.

5. ¿Por qué baja el zorro la cola?

   a. porque tiene mucha picazón

   b. porque pierde la batalla

   c. porque no sabe qué hacer

6. ¿Por qué le declaró el zorro la guerra al grillo?

Así se dice

> Las **rimas** son repeticiones de un mismo sonido al final de dos palabras.
>
> ➤ flo**res** - colo**res**
>
> ➤ ver**ano** - tempr**ano**

1. Identifica las palabras que riman en las oraciones.

    a. Si la batalla está ganada llevaré la cola levantada.

    b. Si la batalla está perdida llevaré la cola caída.

    c. Al río, al río, soldados míos.

> **Recuerda** que los **antónimos** son palabras que tienen significados opuestos.
>
> ➤ fácil / difícil   ➤ subir / bajar   ➤ detrás / delante

2. Escoge el antónimo de estas palabras.

    silenciosa   perdida   caída   preocupado

    a. ganada   c. despreocupado
    b. ruidosa   d. levantada

3. Busca la palabra que significa lo mismo en la lectura. El número dice
    en qué segmento está la palabra.

    a. que no cambia, que se queda igual (3)

    b. que cantan (3)

    c. insectos muy pequeños que viven en el pelo de las personas (7)

4. Usa las palabras de la actividad anterior para completar las oraciones.

    a. Los _____ eran aliados del grillo.

    b. Los animalitos _____ vivían felices en sus agujeritos.

    c. El zorro gritaba y gritaba, pero el grillo seguía _____ .

Así se escribe

1. Corrige la división de las palabras en el párrafo.

Lo primero que hizo el grillo fue llamar a las chinches, a las pulgas, a las garrapatas, a las avispas, a los mosquitos, a las arañas y, a los piojos.

> Los **verbos** son palabras que se usan para expresar acciones. Los verbos tienen tres terminaciones en el **infinitivo**. El infinitivo es su forma más básica, sin conjugar.
>
> ➤ **–ar** (habl**ar**), **–er** (com**er**), **–ir** (escrib**ir**).

2. Escribe el infinitivo del verbo subrayado en estas oraciones.

   a. El zorro le <u>gritaba</u> amenazas al grillo.

   b. El zorro <u>reunió</u> a sus amigos para la batalla.

   c. El grillo <u>tiene</u> buenas ideas.

> Los **prefijos** son un grupo de letras que se ponen delante de una palabra. Estas letras cambian el significado de la palabra. El prefijo **in–** cambia el significado a lo opuesto.
>
> ➤ completo / **in**completo   ➤ adecuado / **in**adecuado

3. Añade el prefijo *in–*. Busca en el diccionario el significado de la nueva palabra.

   a. condicional

   b. comprensible

   c. correcto

   d. cómodo

A escribir

● Por no saber cooperar, el zorro y el grillo se declaran la guerra. ¿Qué pueden hacer para evitar una guerra en el futuro? Escribe un párrafo.

Antes de leer

¿Cuáles son tus fiestas y celebraciones favoritas? ¿Por qué?

¿Cuándo son estas celebraciones?

¿Qué actividades y juegos hay en esas fiestas?

Niños en una carroza
durante un carnavalito

Banda musical estudiantil

Las fiestas y celebraciones de El Salvador

María Á. Pérez

1   Las fiestas, ferias y carnavales son eventos típicos de la vida en los pueblos y ciudades de El Salvador. En estas fiestas hay música, bailes, desfiles, comida y mucha diversión. Los amigos, vecinos y parientes se reúnen para celebrar e ir juntos a los distintos actos.

2   Una de las fiestas más famosas de El Salvador tiene lugar en la ciudad de San Miguel, al este del país. Durante todo el mes de noviembre se celebra en esta ciudad el carnaval de San Miguel. Al carnaval asisten personas de todo El Salvador, de otros países de América Central, ¡y hasta de Estados Unidos!

Carroza con tema floral

Desfile de disfraces

Carroza imitando un jardín

71

3   El carnaval de San Miguel comienza con un desfile, llamado desfile de correos, en el que salen varias carrozas por la ciudad. En los días siguientes, hacen una ceremonia para elegir y coronar a la reina del carnaval. La joven elegida como reina también desfila en una carroza por la ciudad.

4   Durante las semanas siguientes, tienen lugar los llamados "carnavalitos", que son fiestas en cada barrio de la ciudad. Todos los días hay conciertos de grupos musicales de salsa, samba, rock, reggae, merengue y más. También hay bandas musicales estudiantiles que representan a las distintas escuelas de la ciudad. En total participan más de 20 grupos musicales en el carnaval de San Miguel.

Carroza en un desfile de correos

Banda musical de tambores

5   Durante el carnaval hay una feria con puestos de comida, juegos mecánicos, venta de artesanías y mucho entretenimiento. También hay competencias de ciclismo y partidos de fútbol, que es el deporte favorito de los salvadoreños.

6   El "jaripeo" es otro de los eventos favoritos del carnaval. Es parecido al rodeo que se practica en el oeste de Estados Unidos, pero en El Salvador el jinete se monta encima de un toro en lugar de un caballo, e intenta dominarlo. El jinete tiene que tener mucha habilidad y concentración para no caerse del toro.

7   El carnaval de San Miguel termina el último sábado de noviembre con un gran desfile de carrozas.

Artesano en puesto de artesanías

Reina del carnaval en carroza

Competencia de rodeo a caballo

8   Las fiestas "agostinas" son otras celebraciones muy populares en El Salvador. Se llaman así porque se celebran en agosto, en la ciudad de San Salvador, la capital del país. Estas fiestas duran una semana y comienzan también con un desfile.

9   En estas fiestas hay circos, teatros, bailes típicos, payasos y mimos. También hay venta de comida y de golosinas deliciosas, como el dulce de algodón. Y, por supuesto, no pueden faltar los juegos mecánicos como la montaña rusa y la rueda.

10   Otro de los principales atractivos de las fiestas agostinas son los "viejos de agosto". Estos personajes son hombres vestidos con máscaras y disfraces muy graciosos que divierten a la gente y hacen travesuras durante las fiestas.

11   En las fiestas de agosto y de cualquier temporada, en El Salvador ¡la diversión está asegurada!

Puesto de comida

"Viejos de agosto"

Comprendo lo que leí

1. ¿Cuándo es el carnaval de San Miguel?

   a. en el mes de noviembre

   b. en el mes de agosto

   c. en la última semana de noviembre

2. En las fiestas salvadoreñas hay música, comida y...

   a. viejos.

   b. desfiles.

   c. correos.

3. ¿En qué actividad participan un jinete y un toro?

   a. en las competencias de ciclismo

   b. en los desfiles de carrozas

   c. en los jaripeos

4. ¿Cómo divierten los "viejos" de agosto a la gente?

   a. haciendo mimos

   b. haciendo travesuras

   c. haciendo un desfile

5. ¿Cuál de estos es un juego mecánico?

   a. las golosinas

   b. la montaña rusa

   c. los mimos

6. ¿Por qué llaman "carnavalitos" a las fiestas de cada barrio de la ciudad?

Así se dice

Los **sinónimos** son palabras que tienen significados semejantes.

➤ dulces: golosinas   ➤ casa: hogar

1. Sustituye la palabra subrayada con su sinónimo en estas oraciones.

   a. Asisten personas de todo El Salvador. (van / marchan / ayudan)

   b. Salen carrozas por la ciudad. (camionetas / carruajes / reinas)

   c. En los carnavales practican el jaripeo. (empiezan / realizan / concentran)

   d. El jinete domina al toro. (monta / enlaza / controla)

Los **cognados** son palabras que son similares en inglés y en español, tanto en la manera como se escriben como en su significado.

➤ interesante / interesting   ➤ celebrar / celebrate

2. Escribe los cognados de estas palabras.

   a. típico   d. celebraciones

   b. ceremonia   e. bandas

   c. populares   f. conciertos

3. Busca la palabra que significa lo mismo en la lectura. El número dice en qué párrafo está la palabra.

   a. personas de una misma familia (1)

   b. deporte de carreras en bicicleta (5)

   c. dulces (9)

4. Usa las palabras de la actividad anterior para completar las oraciones.

   a. El _____ es mi deporte favorito.

   b. Voy a visitar con mis _____ la ciudad de San Miguel.

   c. En las ferias hay todo tipo de _____ .

Así se escribe

> Los **sustantivos colectivos** son nombres que hablan de un conjunto de personas, animales o cosas en singular.
>
> ➤ equipo (grupo de jugadores)   ➤ rebaño (grupo de ovejas)

1. Identifica los sustantivos colectivos en estas oraciones.

    a. La banda de mi escuela va a desfilar.

    b. En mi barrio celebramos los carnavalitos.

    c. La gente se divierte mucho durante el carnaval de San Miguel.

> Las **conjunciones** son palabras que unen sustantivos y pronombres con otros elementos dentro de una oración. La conjunción **y** se convierte en **e** antes de una palabra que empiece con **i**. La conjunción **o** se convierte en **u** antes de una palabra que empiece con **o**.
>
> ➤ Julio **e** Irma   ➤ siete **u** ocho

2. Completa con *y* o con *e*.

    • Ana ___ Isabel • Lee ___ estudia. • Visita Perú ___ Italia. • Venía ___ iba.

3. Completa con *u* o con *o*.

    • fresas ___ uvas • septiembre ___ octubre • verde ___ azul • uno ___ otro

> Muchos **adjetivos** se forman a partir de un sustantivo. Por lo general, se agrega una terminación, es decir un **sufijo**, al sustantivo y se forma el adjetivo.
>
> ➤ música: musi**cal**   ➤ infante (de niño): infan**til**   ➤ fiebre: feb**ril**

4. Forma adjetivos con los sufijos *-al* o *-il*.

    a. ceremonia

    b. estudiante

    c. comercio

    d. joven

A escribir

● Imagina que estás en El Salvador y participas en una de sus fiestas. ¿En qué fiesta participas? ¿Qué haces? ¿Cómo te diviertes? Escribe un párrafo.

Antes de leer

¿Qué deporte te gusta? ¿Lo juegas?

¿Has participado en alguna competencia deportiva?

¿Qué es más importante, jugar o ganar? ¿Por qué?

Real Rana Saltadora

Jessenia Pagán Marrero
adaptación

1   El año pasado estuvo entrenando por un mes. ¡Si la hubiesen visto! Así gana cualquiera. Bueno, la verdad es que yo no entrené; quería ganar, pero jugar se me hacía más divertido.

   —¿Qué haces? —le dije un día antes de la competencia del año pasado.

   —Entrenando, Lola —me dijo Cali con una de sus acostumbradas sonrisas—. Quiero ganarte.

2   Cali es mi mejor amiga. Crecimos juntas, pero desde hace tres años pertenecemos a grupos distintos en nuestra escuela. A ella asistimos todas las ranas de la comarca.

3   Todos los años se realiza la competencia "Real Rana Saltadora". Cada grupo de la escuela escoge un representante. ¡Adivinen a quiénes escogieron nuestros grupos! Sí, ¡a Cali y a mí!

   —No sería la primera vez que me ganas —le dije a Cali—. Pero esta vez, yo comeré pizza.

   —¡Ja, ja! —rió a carcajadas— ¡Ya lo veremos!

4   El día de la competencia, todas las ranas ganadoras van al Pizzarrana a comer toda la pizza que quieran. Yo nunca lo he hecho. El año pasado fue Cali la que se comió toda la pizza que quiso.

79

5   Esa tarde, mi papá me llevó a comer helado para celebrar mi segundo lugar. ¡Celebrar mi segundo lugar! Yo quería ganar.

6   Cuando mi papá y yo salimos de la heladería, nos topamos con las ranas saltadoras. Todas las ganadoras estaban allí.

  —¿Quieres pizza? —me preguntó Cali, sonriendo tímidamente.

  —¡Lola no ganó! ¡Hoy no come pizza! —dijo una de las ranas.

  —No quiero, gracias —le dije a Cali, aguantando las ganas de gritar.

7   Mi papá, como todo buen padre, quiso hacerme sentir bien.

  —Sabes, no es malo llegar segunda —me dijo—. Lo importante es hacer tu mayor esfuerzo. Hay ocasiones en las que un helado es mejor que un pedazo de pizza —dijo mi padre.

8   Casi un año había pasado. Ya se acercaba nuevamente la competencia.

9   Cali siempre ha saltado más rápido que yo, pero quería ganarle. Comencé a entrenar. Todos los días saltaba y saltaba. Uno de los tantos días de entrenamiento, vino a verme mi primo Lito.

  —¿Qué haces? —me preguntó— ¿Por qué no vienes a jugar?

  —Estoy entrenando —le dije—. Debo ganarle a Cali.

  —Si quieres ganarle, ¿por qué no la invitas a jugar al Bosque Espinoso? Llévala entre los árboles para que se lastime una pata. Con la herida de una espina, no podrá saltar muy rápido —me dijo, antes de salir corriendo.

10   Lo que me dijo Lito me perturbó un poco. Yo no quería hacerle daño a Cali. Ella es mi mejor amiga y yo la quiero mucho, pero también quería ganarle.

11   Un día, después de la escuela, caminaba con Cali de regreso a casa.

—¿Hoy vas a entrenar? —le pregunté a mi amiga.

—Este año no estoy entrenando —me dijo.

—¿Por qué? —dije, algo molesta—. ¿Piensas que es tan fácil ganarme que no necesitas entrenar?

12   Cali comenzó a reírse. Yo la miraba muy seria y ofendida.

—¿Quieres ir a jugar al Bosque Espinoso? —al fin me atreví a preguntar.

—¿Al Bosque Espinoso? —me preguntó sorprendida—. ¿Estás segura?

—Sí —le dije, un poco nerviosa—. ¿Vamos?

13   Cali aceptó y nos dirigimos hacia el temido bosque. Estaba decidida: llevaría a cabo la idea de Lito.

14   Cali y yo comenzamos a jugar con la pelota. Por un momento, me divertí tanto que olvidé por qué la había llevado al bosque.

—¿Sabes por qué vine contigo a este bosque?

—No sé —le contesté—. Me imagino que querías jugar.

—¡Ja, ja, sí! —me dijo entre risas— Quería jugar contigo. Hace mucho que ya no pasamos tanto tiempo juntas. Me gusta jugar contigo, aunque sea en este Bosque Espinoso.

—A mí también me gusta pasar el tiempo contigo. Eres mi mejor amiga —le dije.

—¿Sabes por qué no entrené este año para la competencia? —me preguntó con una leve sonrisa—. Porque saltar debe ser divertido, sobre todo, si estoy saltando contigo.

15 En ese momento, sentí un gran alivio. Supe que nunca hubiese sido capaz de lastimar a mi amiga.

—Vamos a casa —le dije.

16 Desde ese día no volví a entrenar. Preferí dedicar mi tiempo a jugar con mi amiga Cali. Competir era importante, pero ya no estaba obsesionada con ganar. Sabía que cualquiera de las dos merecía ser una Real Rana Saltadora.

17 El día de la competencia llegó. Comenzamos a saltar con energía. Al finalizar nuestros saltos, Cali y yo nos tiramos en el suelo a reír. Tenía razón, ¡saltar es divertido! Y más cuando lo haces en compañía de una amiga.

18 ¿Saben? Otra vez llegué segunda. Pero está vez no me sentí molesta ni triste. Había hecho mi mayor esfuerzo. Simplemente, Cali saltó más rápido que yo. ¡Me sentía feliz por ella!

—Cali, vienes con nosotras a comer pizza, ¿verdad? —preguntó una de las otras ranas.

19 Mi mejor amiga me miró y sonrió.

—Tal vez el próximo año —les dijo, ante el asombro—. Esta vez, prefiero ir a comer helado con mi mejor amiga.

20 Cali me abrazó y caminamos hasta la heladería acompañadas de nuestras familias. En ese momento, entendí lo que quería decir mi padre.

Comprendo lo que leí

1. ¿Por qué está triste Lola al comienzo del cuento?

   a. porque tiene que comer helado

   b. porque tiene que entrenar

   c. porque quedó en segundo lugar

2. ¿Por qué no quería competir Lola contra Cali?

   a. porque era su mejor amiga

   b. porque saltaba más rápido que ella

   c. porque quería comer pizza

3. ¿Qué hacía Cali para ganar?

   a. Comía mucha pizza.

   b. Entrenaba todos los días.

   c. No jugaba con su amiga Lola.

4. ¿Cuál era el plan del primo de Lola?

   a. que Cali se lastimara una pata en el bosque

   b. que Cali no fuera amiga de Lola

   c. que Cali ganara la competencia

5. ¿Qué es lo realmente importante para Cali y Lola?

   a. ir a comer pizza juntas a Pizzarrana

   b. ir a la heladería juntas

   c. divertirse, jugar y pasar tiempo juntas

6. ¿Por qué crees que Cali decidió ir a comer helado con Lola, en lugar de ir a comer pizza con sus otras amigas?

Así se dice

Las **expresiones idiomáticas** son frases que significan algo diferente de lo que dicen.

➤ El niño metió la pata cuando no hizo caso.

significado **incorrecto**: El niño puso la pierna en algún lado al no hacer caso.

significado **correcto**: El niño se equivocó al no hacer caso.

1. Escoge el significado de las expresiones idiomáticas subrayadas en las oraciones.

atreverse a hacer algo	reír con fuerza y ruido
reprimirse, no hacer algo	estar en lo correcto
hacer o realizar algo	obligación, tener que hacer algo

a. Le dije a Cali, <u>aguantando las ganas de gritar</u>.

b. <u>Llevaría a cabo</u> la idea de Lito.

c. Supe que nunca hubiese <u>sido capaz</u> de lastimar a mi amiga.

d. <u>Tenía razón</u>, ¡saltar es divertido!

e. —¡Ja, ja! —<u>rió a carcajadas</u>.

f. Este año <u>te tocará</u> comer helado.

2. Busca la palabra que significa lo mismo en la lectura. El número dice en qué segmento está la palabra.

a. territorio donde viven las ranas saltadoras (2)

b. preparación para la competencia (9)

c. que tiene espinas (9)

3. Usa las palabras de la actividad anterior para completar las oraciones.

a. Había que ir con cuidado, porque el camino era   .

b. Las ranas de la   participaban en la competencia.

c. Lola comenzó su   para ganar el primer lugar.

Así se escribe

> **Recuerda** que los **sustantivos colectivos** son nombres que hablan de un conjunto de personas, animales o cosas en singular.

1. Identifica los sustantivos colectivos en estas oraciones.

   a. A ella asistimos todas las ranas de la comarca.

   b. Cali aceptó y nos dirigimos hacia el temido bosque.

   c. Caminé hasta la heladería acompañada de mi familia.

> El **acento gráfico** (o **tilde**) se usa para indicar la fuerza de la pronunciación. Hay palabras que cambian de significado dependiendo del acento gráfico.
>
> ➤ La niña **está** en su casa.   **Ésta** es mi amiga.

2. Escoge la palabra que completa la oración.

   a. En el Bosque Espinoso había un (río/rió) profundo.

   b. La rana se (río/rió) de su amiga.

   c. En (mi/mí) escuela hacemos competencias de salto.

   d. A (mi/mí) no me gusta el helado de vainilla.

> La **letra h** no tiene sonido. Por lo tanto, hay que memorizar qué palabras se escriben con **h**. Hay algunas palabras que cambian de significado si se escriben con o sin **h**.
>
> ➤ onda (ondulación)   ➤ honda (profunda)

3. Escoge la palabra que completa la oración.

   a. En la competencia (hay/ay) ranas que saltan muy rápido.

   b. ¡(Hay/Ay), me lastimé la pata!

   c. Lola (ha/a) entrenado todo el año.

   d. De camino (ha/a) su casa, Lola se encuentra con su primo.

A escribir

● Imagina que esta vez Lola ganó la competencia en lugar de Cali. ¿Qué crees que pasó? ¿Cómo acaba el cuento? Escribe un párrafo.

Antes de leer

¿Por qué los deportes son tan populares en el mundo?

En deportes con equipos, ¿cuántas personas forman el equipo?

¿Qué deportes crees que jugaban los aztecas, mayas o taínos?

Detalle de un muro dentro de la cancha de pelota, Chichén Itzá, México

Los juegos de pelota de los aztecas, los mayas y los taínos

María Á. Pérez

1   Los deportes y las competencias deportivas son muy importantes para el ser humano. No sólo participan los jugadores, sino que el público también participa al asistir a los partidos y animar a su equipo favorito.

2   Esta costumbre de practicar deportes es muy antigua, ya que hace miles de años el ser humano participa en actividades deportivas. Los mayas del sur de México y América Central, los aztecas de México y los taínos del Caribe eran fanáticos del deporte.

3   En muchos de los deportes que jugamos hoy en día se usa una pelota o un balón. Los indígenas también usaban una pelota. Era de caucho, un material que proviene de la savia, o jugo, del árbol de caucho.

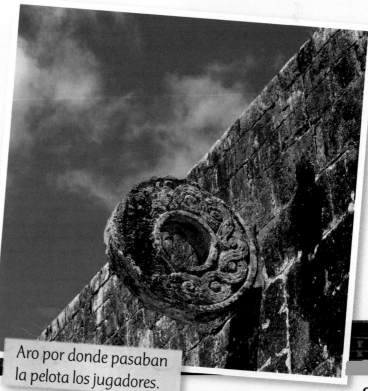

Aro por donde pasaban la pelota los jugadores.

El juego de pelota maya: "pitz"

4   Los mayas jugaban un juego de pelota al que llamaban "pitz", o "pok ta pok". En el *Popol Vuh*, el libro sagrado de los mayas, se habla de este juego. Además, los científicos han encontrado restos de pelotas de caucho y han descubierto algunas canchas. Se cree que este juego se comenzó a jugar hace 3,500 años en el sur de México.

5   En el juego de pelota maya, el número de jugadores variaba. A veces eran sólo dos, uno contra otro, y en ocasiones podían ser hasta once jugadores por equipo. La cancha tenía forma de i mayúscula (I) y a ambos lados se sentaban los espectadores.

Piedra con jeroglíficos mayas

6   El juego consistía en lanzarse una pelota de caucho de un lado a otro de la cancha. Podían pegarle con las caderas, las rodillas y los brazos, pero no con las manos. Como la pelota era muy pesada, los jugadores debían ser fuertes y tener mucha habilidad para poder devolver la pelota.

7   Con el tiempo el juego se hizo más difícil. Se añadieron unos aros de piedra a unos veinte pies de altura en las paredes laterales de la cancha. Si un jugador lograba pasar la pelota por el aro, su equipo ganaba automáticamente. Esto no ocurría mucho.

8   La cancha de pelota maya más grande que se ha descubierto es la de Chichén Itzá, en la península de Yucatán al sur de México. ¡Esta cancha es casi tan grande como un campo de fútbol americano!

Cancha de pelota en Chichén Itzá, México

El juego de pelota azteca: "ulama"

9   Los aztecas, que vivían en lo que hoy es México, también jugaban a la pelota. Era un juego parecido al de los mayas. El juego de pelota azteca se conocía por los nombres de "ulama" o "tlachtli".

10   No sabemos todas las reglas de este juego, pero aún hoy en día hay pequeños grupos de jugadores en el norte del país que siguen jugando al "ulama".

11   En este juego, la pelota es de caucho, del tamaño de una pelota de voleibol, ¡pero mucho más pesada! Pesa alrededor de nueve libras, así que cuando se lanza a gran velocidad hay que estar muy preparado, y ser muy fuerte, para poder aguantar el golpe y devolver la pelota sin caerse.

12   Debido al peso de la pelota, los jugadores usaban protecciones en distintas partes del cuerpo. Podían pegarle a la pelota con los codos, las rodillas y las caderas, pero no con las manos. Los jugadores debían devolver la pelota al otro equipo antes de que ésta "rebotara" dos veces, es decir, que se saliera de la cancha.

13   Este juego se jugaba en una cancha (en forma de I) que los aztecas llamaban "tlachtli". Los arqueólogos han descubierto cientos de estas canchas por todo México, así que por eso se cree que este deporte era muy popular.

14   Cuando los primeros españoles que llegaron a México vieron un partido de "ulama", les impresionó tanto que llevaron a un grupo de jugadores a España para que jugaran ante el rey.

El juego de pelota taíno: "batú"

15   Los taínos eran los pobladores de las Antillas Mayores, es decir, Cuba, La Española (República Dominicana y Haití), Jamaica y Puerto Rico. Los taínos acostumbraban reunirse en la plaza principal del pueblo, llamada "batey". En esta plaza tenían lugar las ceremonias religiosas, las actividades sociales y un juego de pelota llamado "batú".

16   La pelota que utilizaban los taínos era de raíces y plantas, y quizás también de caucho, porque rebotaba muy bien. Al igual que en el juego de pelota maya y azteca, en el "batú" jugaban dos equipos. Pero había una diferencia importante: en el juego del "batú" a veces participaban mujeres. También cada equipo podía tener hasta treinta jugadores.

17   Los jugadores tenían que mantener la pelota en el aire. Podían pegarle con las caderas, las piernas, los brazos, los hombros y la cabeza, pero no con las manos. Los jugadores debían devolver la pelota de un lado a otro del campo de juego sin dejarla caer.

18   Deportes como el "batú", el "ulama" y el "pitz" muestran que, desde la antigüedad, el ser humano ha participado en actividades deportivas y ha inventado juegos para divertirse.

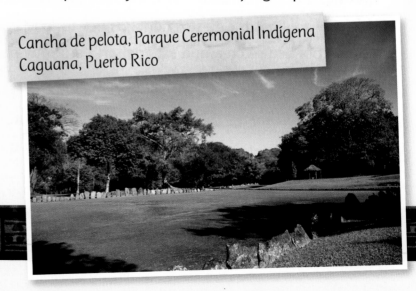

Cancha de pelota, Parque Ceremonial Indígena Caguana, Puerto Rico

Comprendo lo que leí

1. ¿En dónde vivían los mayas?

   a. en el norte de México

   b. en el sur de México y América Central

   c. en las Antillas Mayores

2. ¿Con qué parte del cuerpo no se podía tocar la pelota?

   a. con las rodillas

   b. con las piernas

   c. con las manos

3. ¿En qué juego podían jugar hasta sólo dos jugadores?

   a. en el pitz

   b. en el ulama

   c. en el batú

4. ¿Cómo se llamaba la plaza principal donde los taínos jugaban pelota?

   a. la cancha

   b. el batey

   c. el batú

5. ¿En qué juego de pelota participaban a veces las mujeres?

   a. en el batú

   b. en el pitz

   c. en el ulama

6. ¿Cuál crees que es la intención de la autora de esta lectura: informar, explicar, persuadir o entretener? Explica.

Así se dice

Las **palabras agudas** son las que llevan la fuerza de la pronunciación en la última sílaba.

➤ reloj (re-**loj**)   feliz (fe-**liz**)   hacer (ha-**cer**)

Las palabras agudas llevan **acento gráfico** (o **tilde**) si terminan con las letras **n**, **s** o **vocal**.

➤ camión (ca-**mión**)   Andrés (An-**drés**)   viajó (via-**jó**)

1. Identifica las palabras agudas.

   a. balón   c. siguen   e. ulama   g. tener

   b. batú   d. material   f. además   h. fuertes

2. Escoge la definición de la palabra subrayada en estas oraciones.

   a. Los deportes son muy importantes para el ser <u>humano</u>.

      persona   existir

   b. El <u>público</u> también participa al asistir a los partidos.

      conocido por todos   espectadores

   c. Cuando los primeros españoles vieron un <u>partido</u> se impresionaron.

      roto   competencia

   d. No sabemos todas las <u>reglas</u> de este juego.

      normas   instrumentos para medir

   e. Los jugadores debían devolver la pelota al otro lado del <u>campo de juego</u>.

      tierra para cultivar   terreno de juego

3. Busca la palabra que significa lo mismo en la lectura. El número dice en qué párrafo está la palabra.

   a. también significa pelota (3)

   b. científicos que estudian las civilizaciones (13)

   c. grupo de islas en el Caribe (15)

4. Usa las palabras de la actividad anterior para completar las oraciones.

   a. Los _____ investigan las culturas indígenas.

   b. Los jugadores devolvían el _____ al otro lado.

   c. El batú se jugaba en las _____ .

Así se escribe

Las **letras** en español a veces tienen sonidos parecidos, pero se escriben con letras diferentes.

➤ ll / y = a**ll**á / **y**o

1. Completa las palabras incompletas en estas oraciones con una *ll* o con una *y*.

    a. El juego ma____a se ____amaba pitz.

    b. La cancha era como una I ma____úscula.

    c. Podían pegarle a la pelota con las rodi____as.

Recuerda que los **sustantivos colectivos** son palabras que nombran un conjunto de personas, objetos o animales en singular.

2. Identifica los sustantivos colectivos en estas oraciones.

    a. El público también participa al asistir a los partidos.

    b. Les impresionó tanto que llevaron a un grupo de jugadores a España.

    c. Cada equipo podía tener hasta treinta jugadores.

Las **palabras de transición** son palabras que ayudan a conectar oraciones, ideas, o párrafos. Algunas palabras de transición son: **ya que**, **porque**, **así que**, **sino que, es decir**.

➤ No solo participan los jugadores, **sino que** el público también.

➤ Es una costumbre antigua, **ya que** hace miles de años había deportes.

3. Completa las oraciones con palabras de transición.

> ya que   sino que   es decir

    a. Se han encontrado muchas canchas de pelota en México, _____, que era un juego muy popular.

    b. Los jugadores tenían que protegerse, _____ la pelota era muy pesada.

    c. En México no se juega solamente pelota, _____ también se juega fútbol.

A escribir

● ¿Cuál es tu deporte favorito? ¿Qué sabes sobre la historia de ese deporte? ¿Cómo se juega? ¿Dónde es más popular? Escribe un párrafo.

Antes de leer

¿Quién es tu superhéroe favorito?

¿Cómo es y qué poderes tiene?

¿Qué hace tu superhéroe? ¿Siempre tiene éxito?

Supersapo

Roy Berocay
fragmento

1   El sapo Ruperto soñaba con ser un superhéroe, un supersapo capaz de volar y de ganar siempre a los malos.

—Los superhéroes necesitan un traje con una gran Z en el pecho —decía Ruperto mientras juntaba pedazos de tela azul y roja que había encontrado por ahí.

2   Horas después, cuando los demás sapos cantaban en la charca, oyeron una voz muy fuerte:

—¡A luchar por la justicia! —gritó la voz acompañada de un ruido de ramas rotas.

3   Los sapos corrieron asustados y se escondieron. Instantes después caía, en medio de la charca, una cosa roja y azul.

—¡Por la justicia! —repitió la voz débilmente, intentando mantenerse a flote en la charca.

—¡Un sapo en calzoncillos! —gritó horrorizada una rana.

4   Ruperto Supersapo salió a la orilla, se colocó la capa roja sobre su traje azul y, tratando de poner voz de superhéroe, dijo:

—Ha sido un vuelo terrible, pero nada podrá impedir mi misión.

5   Los sapos se miraban mientras la rana insistía:

—¡Una misión en calzoncillos! ¡Sinvergüenza!

—¿Por qué tienes una Z ahí? —preguntaron algunos sapos.

—¡Es el símbolo de Supersapo! —contestó Ruperto.

—¡Miren! ¡Dice Supersapo con Z! —decían riéndose los sapos pequeños.

—He venido a salvarlos de los malos —dijo Ruperto—. ¿Dónde están?

6   Todos miraron asombrados alrededor. No había malos de los que hubiera que salvarse.

—No puede ser —protestó Ruperto—. Para que haya héroes tiene que haber malos. Busquen un malo o si no, se quedarán sin Supersapo.

7   Los animales se pusieron un poco tristes. Era la primera
vez que tenían un superhéroe y, sin embargo, no tenían ni
un miserable malo para pelear.

—Bueno…, yo puedo hacer de malo —se ofreció un sapo
gordo y grandote—. ¿Qué tengo que hacer?

—Lo primero —dijo Ruperto—, es poner cara de malo.

8   El sapo gordo torció la boca y todos se echaron a reír.
Luego probó una y otra vez hasta que le salió una cara
de malo.

—Bien —dijo Ruperto—. Ahora tienes que hacer algo
muy, pero que muy malo.

9   El sapo gordo, esforzándose por mantener su cara de malvado, miró a los demás. ¿Qué podía hacer para ser un verdadero recontrarchimalvado? Entonces tuvo una idea. Respiró hondo, tomó impulso y empezó a correr como un rinoceronte hacia Ruperto.

—¡Atrás, villano! ¡Veo que tienes miedo! —decía Ruperto mientras levantaba una pata—. ¡Detente!

10   Pero el sapo gordo se lo llevó por delante y lo hizo volar por los aires hasta caer en medio de la charca. Y encima, en plena caída, Ruperto perdió los calzoncillos.

11   Las risas de los sapos se escucharon por todo el campo. Mientras, Supersapo decía:

—¡Cáspita! ¡Creo que este trabajo de superhéroe es demasiado peligroso para mí!

Comprendo lo que leí

1. ¿Por qué quería Ruperto ser un superhéroe?

   a. porque quería tener una capa

   b. porque quería justicia

   c. porque quería volar y ganarle a los malos

2. ¿Por qué se horrorizó una rana al ver a Ruperto?

   a. porque Ruperto estaba en calzoncillos

   b. porque Ruperto los asustó

   c. porque Ruperto cumplía una misión

3. ¿Por qué se pusieron tristes los animales?

   a. porque no querían que Ruperto fuera un superhéroe

   b. porque tenían a un superhéroe, pero no tenían a nadie malo

   c. porque al sapo gordo no le salía una cara de malo

4. Según Ruperto, ¿qué tiene que haber para que haya superhéroes?

   a. tela para un traje de superhéroe

   b. malos para pelear

   c. sapos asustados

5. ¿Qué le pasó a Ruperto cuando trató de detener al sapo malvado?

   a. Voló por los aires y cayó sobre el sapo malvado.

   b. Cayó sobre el sapo malvado y perdió los calzoncillos.

   c. Voló por los aires, cayó en la charca, y perdió los calzoncillos.

6. ¿Por qué crees que el traje de Ruperto tenía una Z en lugar de una S?

Antes de leer

¿Has visto una pintura grande? ¿Cuál fue el tamaño?

¿Has visto un muro pintado? ¿Qué tenía?

¿Qué cosas puedes ver en las pinturas de estas páginas?

"Sueño de una tarde dominical en la Alameda Central" (1948), mural de Diego Rivera, Museo Mural Diego Rivera, México D.F.

Los Tres Grandes

María Á. Pérez

1   Cuando oímos la palabra "inventos", nos vienen a la mente objetos como la computadora y el teléfono. También pensamos en grandes obras de ingeniería como los rascacielos, los puentes y las pirámides. Sin embargo, también hay inventos e innovación en las artes.

2   A principios del siglo veinte comenzó en México un movimiento artístico llamado el *muralismo mexicano*. Se conoce como "muralismo" porque los pintores pintan en muros, o paredes. Tres pintores mexicanos, conocidos como "Los Tres Grandes", popularizaron esta técnica de pintura.

3   En el muralismo mexicano, las pinturas se hacen en edificios del gobierno, universidades, escuelas, hospitales y otros lugares. Son pinturas muy grandes y, en muchos casos, la pintura ocupa todas las paredes del edificio.

4   En este estilo de pintura se usan colores muy vivos para mostrar escenas que cuentan la historia del país o de un grupo de personas. Cada mural es como un libro ilustrado gigante porque nos cuenta una historia con imágenes.

Diego Rivera pintando el mural "La historia de México" (1929–1951), Palacio Nacional, México D.F.

Diego Rivera

5   El pintor más conocido del muralismo mexicano es Diego Rivera (1886–1957). Su nombre completo era Diego María Concepción Juan Nepomuceno Estanislao de la Rivera y Barrientos Acosta y Rodríguez, pero como nadie podía recordar un nombre tan largo, era conocido como Diego Rivera.

6   Dicen que le gustaba tanto el arte que comenzó a pintar a los tres años, antes de aprender a escribir. A los diez años empezó sus estudios en la Academia de Arte San Carlos en la Ciudad de México. Como tenía mucho talento para la pintura, el gobernador del estado de Veracruz le pagó un viaje a Europa para que siguiera con sus estudios de arte en España y Francia.

7   Al terminar sus estudios de pintura en Europa, Diego Rivera regresó a México. Allí puso en práctica lo que había aprendido y sus propias ideas para crear murales. El primer mural que pintó fue en la Escuela Nacional Preparatoria en la Ciudad de México en 1922. También pintó murales en el Palacio Nacional, que es el edificio del gobierno de México.

8   Entre 1930 y 1934, el famoso pintor estuvo en Estados Unidos. Rivera pintó varios murales en San Francisco, New York y Detroit. Su fama se extendió por todo el mundo y el arte de pintar murales comenzó a propagarse.

"Detroit Industry" mural de Diego Rivera, mural pintado entre 1932–1933, Detroit Institute of Art

José Clemente Orozco

9   Otro de los muralistas mexicanos del grupo de "Los Tres Grandes" fue José Orozco (1883–1949). Orozco nació en el estado de Jalisco, pero se mudó con su familia a la Ciudad de México cuando era niño.

10   Orozco se interesó en la pintura porque, cuando iba a la escuela, pasaba enfrente de la tienda de José Guadalupe Posada, un ilustrador muy conocido. Posada dibujaba caricaturas que luego publicaba en revistas y periódicos. El niño José Orozco lo observaba trabajar.

11   Tanto le gustaba el arte y el dibujo a Orozco que en las noches empezó a asistir a clases a la Academia de Arte San Carlos. Sin embargo, su papá no quería que estudiara arte, así que Orozco dejó sus estudios de arte y estudió agronomía. Poco después, Orozco tuvo un accidente muy grave en el que perdió la mano izquierda. Entonces, decidió regresar a la academia de arte a estudiar pintura.

Mural de Orozco, pintado entre 1936–1939, Instituto Cultural de Cabañas, Guadalajara, México

12   Cuando Orozco terminó sus estudios, trabajó dibujando caricaturas para varias revistas mexicanas. También diseñó carteles para películas. Después, en 1922, comenzó a pintar murales en México, al igual que Diego Rivera.

13   De 1927 a 1934, Orozco vivió en Estados Unidos y pintó varios murales en New York, California y New Hampshire. Orozco también continuó dibujando caricaturas e ilustrando libros.

Mural de Orozco, Instituto Cultural de Cabañas, Guadalajara, México

José David Alfaro Siqueiros

"El pueblo a la Universidad y la Universidad al pueblo" (1952–1956), mural de Siqueiros en el edificio de la rectoría de Ciudad Universitaria (UNAM), México D. F.

14   José Siqueiros (1896–1974) nació en el norte de México, en el estado de Chihuahua. Su madre murió cuando él era muy pequeño y su padre lo envió a vivir con sus abuelos. Después, Siqueiros y sus hermanos se mudaron a Ciudad de México. Allí, Siqueiros, al igual que Diego Rivera y José Orozco, estudió en la Academia de Arte San Carlos.

15   Del 1910 al 1920 tomó lugar la Revolución Mexicana. Fue una guerra civil en México. Siqueiros interrumpió sus estudios de arte para ir a luchar en esa guerra, donde fue nombrado capitán.

16   A Siqueiros le gustaba tanto la pintura que, cuando terminó la guerra, volvió a pintar. Siqueiros fue muy conocido por usar materiales diferentes a los que usaban otros pintores. Por ejemplo, usó pintura de automóviles en sus cuadros y también pintó sobre metal.

"La marcha de la humanidad" de Siqueiros (detalle), (1964), Polyforum Cultural Siqueiros, México D.F.

17   Una de las últimas obras de Siqueiros fue el Polyforum Cultural Siqueiros. En este edificio, Siqueiros pintó el mural "La marcha de la humanidad", que es el mural más grande del mundo. El edificio tiene, además, unas formas muy extrañas y sus paredes están llenas de murales. Fue algo muy diferente a todo lo que existía hasta ese momento en la Ciudad de México.

18   "Los Tres Grandes" de México crearon una nueva forma de arte con grandes murales en edificios públicos. El estilo de pintura de estos tres artistas no sólo influenció el arte en México, sino en todo el mundo.

Comprendo lo que leí

1. ¿Qué es el muralismo mexicano?

   a. un movimiento artístico

   b. un movimiento tecnológico

   c. un movimiento de inventos

2. ¿Por qué llamaban a Rivera, Orozco y Siqueiros, "Los Tres Grandes"?

   a. porque pintaban pinturas en edificios

   b. porque popularizaron el muralismo

   c. porque pintaban con colores vivos

3. ¿Quién pintó los murales del Palacio Nacional en México?

   a. David Siqueiros

   b. Diego Rivera

   c. José Orozco

4. ¿Quién pintó caricaturas para revistas e ilustró libros?

   a. David Siqueiros

   b. Diego Rivera

   c. José Orozco

5. "La marcha de la humanidad" es...

   a. sobre la Revolución Mexicana.

   b. una de las primeras obras de David Siqueiros.

   c. el mural más grande del mundo.

6. ¿En qué se parecen los murales de "Los Tres Grandes"?

Los **sufijos** son un grupo de letras que se ponen al final de una palabra. Estas letras cambian el significado de la palabra o crean una palabra nueva. Hay algunos sufijos que indican una profesión u ocupación.

➤ **–or / –ora**: el profes**or**, la profes**ora**

➤ **–ero /–era**: el enferm**ero**, la enferm**era**

➤ **–ista**: el pian**ista**, la pian**ista**

1. Identifica las profesiones u ocupaciones en estas oraciones.

    a. El gobernador del estado de Veracruz le pagó un viaje a Europa.

    b. Otro de los muralistas del grupo fue José David Alfaro Siqueiros.

    c. Orozco pasaba enfrente de la tienda de un conocido ilustrador.

    d. Orozco también fue caricaturista.

2. Escribe la profesión u ocupación. Usa el diccionario.

    a. mujer que trabaja en la ingeniería

    b. hombre que trabaja con la electricidad

    c. mujer que se dedica a escribir

    d. hombre que se dedica al diseño

    e. músico que toca el violín

    f. persona que trabaja en una oficina

3. Busca la palabra que significa lo mismo en la lectura. El número dice en qué párrafo está la palabra.

    a. edificios muy altos (1)

    b. aptitud o destreza (6)

    c. dibujos que exageran las características de personas (10)

4. Usa las palabras de la actividad anterior para completar las oraciones.

    a. Los muralistas mexicanos tenían mucho _____.

    b. A Orozco también se le conoce por sus _____.

    c. En New York hay muchos _____.

Así se escribe

Recuerda que el **acento gráfico** (o **tilde**) se usa para indicar la fuerza de la pronunciación. Hay palabras que cambian de significado dependiendo del acento.

➤ peso = moneda
➤ pesó = pasado del verbo pesar
➤ bebe = presente del verbo bebe
➤ bebé = niño recién nacido

1. Escoge la palabra que completa la oración.

   a. Hoy yo (llego / llegó) a la escuela temprano.

   b. El muralismo (llego / llegó) a todo el mundo.

   c. Orozco se (mudo / mudó) a la Ciudad de México.

   d. El niño es (mudo / mudó), no puede hablar.

   e. Ella (termino / terminó) la tarea sobre Diego Rivera.

   f. Mañana (termino / terminó) la lectura.

La terminación de los verbos indica el tiempo. **Pasado** es el tiempo antes del momento en que se habla. **Presente** es el momento en que se habla. **Futuro** es el tiempo después del momento en que se habla.

➤ **pasado**: Yo **pinté** un mural.

➤ **presente**: Yo **pinto** un mural.

➤ **futuro**: Yo **pintaré** un mural.

2. Indica si la oración está en el pasado o el futuro.

   a. Nosotros recordaremos a los muralistas.

   b. El muralismo comenzó en México.

   c. El arte siempre será importante.

   d. Orozco tuvo un accidente.

A escribir

● Imagina que eres un muralista. ¿En qué lugar de tu comunidad te gustaría pintar un mural? ¿Qué representarías en tu mural? ¿Qué personas de tu comunidad pintarías? Escribe un párrafo.

Antes de leer

¿Qué feriados celebras con comidas especiales?

¿Cuál de esos feriados es tu favorito? ¿Por qué?

¿Cómo celebras ese día?

Tejedora de gorros en el mercado de Otavalo

Bogotá

COLOMBIA

ECUADOR

Otavalo

Quito

Guayaquil

PERÚ

BRASIL

Plaza de Ponchos en Otavalo

Mercado de textiles en Otavalo

El mercado y las fiestas de Otavalo

María Á. Pérez

1   A dos horas al norte de Quito, la capital de Ecuador, se encuentra la pequeña ciudad de Otavalo. Esta ciudad es famosa por su mercado, sus tradiciones indígenas y la Fiesta del Yamor, que se celebra a comienzos de septiembre.

2   Antes de la llegada de los españoles a Ecuador, los indígenas de Otavalo ya eran conocidos en toda la región por su agricultura y sus textiles de lana. Estos indígenas cultivaban muchos alimentos en los valles y usaban la lana de las llamas y de las alpacas para hacer su ropa. Los incas, otro pueblo indígena de América del Sur, querían tener muchas tierras y tomaron Otavalo después de muchos años de guerra con los otavaleños.

Puesto de textiles en Otavalo

3   En el siglo dieciséis llegaron los conquistadores españoles a América del Sur y, en el año 1534, fundaron un pequeño pueblo en Otavalo. Este pueblo fue creciendo gracias a las destrezas de los agricultores y artesanos otavaleños. En 1868 hubo un gran terremoto y la ciudad de Otavalo fue destruida casi por completo. Sin embargo, el pueblo otavaleño no se desanimó y reconstruyó la ciudad.

4   Hoy día la ciudad de Otavalo tiene uno de los mercados más grandes de América del Sur. Este mercado está localizado en la Plaza de Ponchos. El día de más actividad es el sábado, pero abre toda la semana. El mercado es especialmente famoso por la ropa y los textiles de lana, como por ejemplo: ponchos, blusas, bufandas, gorros, mantas y tapices.

5   Además de textiles, en el mercado de Otavalo hay bolsos y calzado de cuero, cerámicas, artesanías de madera y hasta instrumentos musicales. También hay puestos de venta de comida, donde se pueden comprar las frutas y verduras que se cultivan en esa zona del país.

Puesto de venta de comida

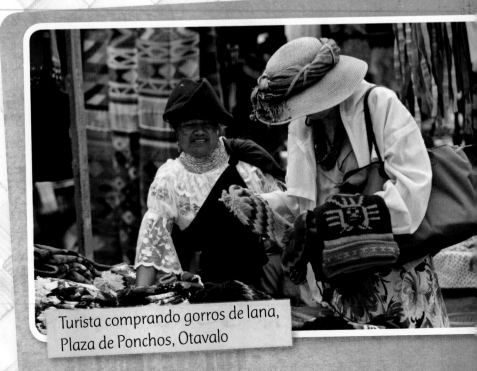

Turista comprando gorros de lana, Plaza de Ponchos, Otavalo

6   Otavalo también es conocido por una de las celebraciones más famosas de Ecuador: la Fiesta del Yamor. Esta fiesta se celebra en los primeros días de septiembre, cuando se recolecta el maíz. Es un festival para dar gracias por los alimentos.

7   La Fiesta del Yamor comienza de noche con el "pregón", que es un anuncio para avisar a todos que ya empieza la fiesta. Después del anuncio hay un desfile de carrozas acompañadas de bandas musicales y bailarines. Durante una semana los otavaleños y miles de visitantes celebran la abundancia de la cosecha de maíz con fuegos artificiales, música y bailes.

Vista parcial de puestos de comida en el mercado

Vendedoras de maíz en el mercado de Otavalo

113

El redondel de los danzantes, en Otavalo

Fiesta del Yamor en Otavalo

8   Como esta es una celebración para dar gracias por los alimentos, también hay mucha comida en la Fiesta del Yamor. Los asistentes pueden disfrutar del plato típico: carne con mote (maíz hervido), papas, ají (chile) y empanadas de queso o de carne. La papa, el maíz y el ají son alimentos del continente americano que los diferentes pueblos indígenas de la zona han cultivado por miles de años.

9   También se celebran eventos deportivos durante la Fiesta del Yamor. Hay una competencia de natación en el lago San Pablo. Los participantes tienen que atravesar un gran lago nadando. Las aguas del lago son muy frías y, para poder soportar las temperaturas, los nadadores se untan grasa en el cuerpo.

10   Otavalo ha sido, desde hace miles de años, una ciudad importante para la venta de productos y la agricultura. Esas tradiciones continúan hoy en día a través de su mercado y de sus fiestas. Por eso Otavalo es uno de los lugares favoritos de los turistas que visitan Ecuador.

Mercado de artesanías en Otavalo

Mujer bailando con traje típico de Ecuador

Comprendo lo que leí

1. ¿Qué se celebra en septiembre en la ciudad de Otavalo?

   a. la fundación de Otavalo

   b. la reconstrucción de la ciudad

   c. la Fiesta del Yamor

2. ¿De qué material están hechos los ponchos de Otavalo?

   a. de lana

   b. de mantas

   c. de cuero

3. ¿Cómo comienza la Fiesta del Yamor?

   a. con un pregón

   b. con fuegos artificiales

   c. con una competencia

4. ¿Cuánto tiempo dura la Fiesta del Yamor?

   a. el mes de septiembre

   b. una semana

   c. una noche

5. ¿Qué es el "mote"?

   a. una empanada de carne

   b. un tipo de papa

   c. maíz hervido

6. Después de leer sobre Otavalo, ¿por qué crees que Otavalo es una ciudad especial?

Así se dice

> **Recuerda** que los **antónimos** son palabras que tienen significados opuestos.

1. Escoge el antónimo de las palabras.

> vender   finales   últimos   partida

   a. comienzos   c. llegada

   b. comprar   d. primeros

> **Recuerda** que los **prefijos** son un grupo de letras que se ponen delante de una palabra. Estas letras cambian el significado de la palabra.
>
> El prefijo **des-** cambia el significado a lo opuesto.
>
> El prefijo **re-** significa la repetición de una acción.

2. Añade el prefijo *des-* o *re-*. Busca en el diccionario el significado de la nueva palabra.

   a. conocido

   b. animar

   c. continuar

   d. construir

   e. abrir

3. Busca la palabra que significa lo mismo en la lectura. El número dice en qué párrafo está la palabra.

   a. que siembran la tierra (5)

   b. zapatos, sandalias u otros objetos que cubren los pies (5)

   c. cosechar o recoger los frutos de la tierra (6)

4. Usa las palabras de la actividad anterior para completar las oraciones.

   a. En Otavalo   el maíz desde hace miles de años.

   b. En la Plaza de Ponchos se pueden comprar   y ropa.

   c. El maíz se   durante el mes de septiembre.

Así se escribe

1. Completa las palabras en estas oraciones con *ll* o *y*.

    a. Las   amas del va e producen lana.

    b. Miles de personas   egan a la Fiesta del   amor.

    c. Los otavaleños reconstru eron su ciudad.

    d. Deja la   ave sobre la mesa.

Los **paréntesis** se usan para añadir una explicación o aclaración.

  ➤ Ayer fue su cumpleaños (cumplió 10 años) y tuvo una gran fiesta.

  ➤ La caja pesa 10 kilos (aproximadamente 22 libras).

---

2. Añade los paréntesis donde correspondan en estas oraciones.

    a. Otavalo Ecuador está a dos horas de Quito.

    b. Llegó tarde a las 10:00 a.m. a la reunión.

    c. El ceviche un plato de pescado me gusta.

    d. El pregón anuncio es por la noche.

Los **adverbios** son palabras que modifican el significado de un verbo, un adjetivo u otro adverbio. Algunos adverbios son **de tiempo** (**marcadores temporales**). Indican cuándo sucedió, sucede o sucederá algo. Ayudan a entender una secuencia de eventos. Algunos adverbios de tiempo son: **ayer**, **hoy**, **mañana**; **antes**, **después**; **primero**, **luego**; **hoy en día**, **al comienzo**, **al final**.

---

3. Identifica cuál de los dos es el adverbio de tiempo en las oraciones.

    a. Los incas tomaron Otavalo <u>después</u> de <u>muchos</u> años de lucha.

    b. <u>Hoy en día</u> la ciudad de Otavalo tiene un mercado <u>muy</u> grande.

    c. La Fiesta <u>del</u> Yamor es <u>a comienzos</u> de septiembre.

    d. <u>Mañana</u> nosotros leeremos <u>más</u> sobre Ecuador.

A escribir

● Imagina que estás de vacaciones con tu familia en Otavalo durante la Fiesta del Yamor. Describe tu viaje. ¿Qué haces y ves en Otavalo? ¿Qué sucede durante tu visita? Escribe un párrafo.

Antes de leer

¿Cómo te disculpas cuando te enojas con alguien?

¿Cómo te sientes cuando se aproxima tu cumpleaños?

En tu cumpleaños, ¿prefieres abrir regalos o estar con los invitados?

Vida y sueño

Arturo Rico

Personajes

EDMUNDO, niño de 9 años

CLARINETE, primo de Edmundo

ESTRELLITA, prima de Edmundo

BASILIO, padre de Edmundo

BASILIA, madre de Edmundo

Acto primero

1 *Los pasillos de una casa. Estrellita y Clarinete están al lado de una habitación cerrada.*

CLARINETE. ¿Sabes qué ha pasado en la cocina hace un rato?

ESTRELLITA. Parece que al primo Edmundo lo han reñido por

5 malcriado.

CLARINETE. Con razón lo vi pasar furioso y encerrarse en su cuarto.

ESTRELLITA. Su papá, el tío Basilio, lo ha debido mandar allí. Yo no sé qué le pasa a Edmundo, pero está raro con todos.

10 CLARINETE. Yo sospecho que está nervioso porque se acerca su cumpleaños. Siempre se pone así. Tal vez deberíamos hablar con él.

ESTRELLITA. No creo que sea buena idea, por lo menos no mientras está enojado. Mejor quedémonos aquí, detrás de

15 su puerta, y escuchemos lo que dice. ¿Oyes algo? *(Ambos niños pegan sus orejas a la puerta del cuarto de Edmundo.)*

Acto segundo

El cuarto de Edmundo, Edmundo habla, echado en su cama, entre triste y enojado.

EDMUNDO. ¡Ay, pobrecito de mí! "¡A tu cuarto, y te quedas
20 sin cenar!", me dijo mi papá. Y todo por culpa de la
vecina. Reconozco que hice mal en levantar la voz, pero
no era para tanto. Creo que otros niños se portan mucho
peor que yo y no los castigan tanto.

Además, hoy mi mamá había hecho fideos para la cena,
25 ¡lo que más me gusta! Pero, como nadie piensa en mí, me
castigan y me dejan sin comer. ¡Qué injustos son todos!
(*Bosteza.*) ¡Qué injusta que es esta vida, mi mamá… y mi
papá…! (*Se queda dormido.*)

Acto tercero

El sueño de Edmundo: él está en su cuarto, rodeado de regalos.

30 EDMUNDO. ¡Uy, qué lindo! Ya llegó mi cumpleaños, el mejor
día del año. A ver, ¿qué me han regalado? (*Abre, uno por
uno, sus regalos.*)

¡Ah, qué lindo: una pelota y el juego de video que quería!
Y también unos guantes de arquero y diez revistas de
35 historietas. ¡Hasta un lindo par de raquetas!

Pero, ¿dónde se han ido todos? ¿Por qué no hay nadie conmigo? ¿No voy a tener una fiesta con invitados y con torta? (*Llora.*)

¿Para qué quiero regalos, si voy a estar solo? ¡Quiero ver a mi mamá! ¡Quiero ver a mi papá! Y a mis amiguitos y a mis primos. ¡No quiero estar solito!… (*Llora en el sueño y despierta llorando.*)

Acto cuarto

El cuarto de Edmundo. Entran Basilio y Basilia, al escuchar llorar a su hijo.

45 BASILIA. ¿Qué te pasa hijito? (*Lo abraza. Edmundo llora aún.*)

EDMUNDO. (*Ya más calmado.*) Perdóname mamá querida. Nunca más seré grosero con nadie.

BASILIO. Qué bueno oírte hablar así, hijo.

EDMUNDO. Sí, papá, sé que he sido un malcriado y te pido

50 perdón. También le pediré disculpas a doña Alcira, la vecina, porque sé que está enojada conmigo, y tiene toda la razón.

BASILIA. Me alegro mucho, Edmundo, y me siento muy orgullosa de que hayas recapacitado.

55 EDMUNDO. Gracias mamá, y te prometo que voy a ser un buen niño.

BASILIO. Qué bueno que hayas cambiado de actitud. Siento haberte castigado.

EDMUNDO. No te preocupes, papá. Que fue gracias a tu
60   castigo que pude reflexionar.

ESTRELLITA. Primo Edmundo, ¿cómo estás? Pensábamos que llorabas.

CLARINETE. Sí, al menos desde afuera se te oía llorar bien fuerte.

65 EDMUNDO. Sí, es verdad, lloraba, pero ya no. Ahora, con todos ustedes a mi lado, me siento mucho mejor.

CLARINETE. ¡Qué raro! ¿Tú de tan buen humor? Qué rápido has cambiado.

EDMUNDO. Pero, ¿por qué te sorprendes? Tuve el mejor de los
70   maestros: el sueño. Y me hizo dar cuenta de que ustedes, mi familia, son lo mejor que tengo.

Todos abrazan a Edmundo. Baja el telón.

Comprendo lo que leí

1. ¿Quién es Basilio?

   a. el padre de Clarinete

   b. el primo de Estrellita

   c. el padre de Edmundo

2. ¿Por qué está furioso Edmundo?

   a. porque no quiere pasar su cumpleaños solo

   b. porque su padre lo castigó

   c. porque no quiere comer fideos

3. ¿Por qué dice Edmundo que sus padres son injustos?

   a. porque no le regalan un juego de video

   b. porque no le dejan jugar con su pelota

   c. porque no le dejan comer su comida favorita

4. ¿Por qué castigan los padres a Edmundo?

   a. porque se portó mal con la vecina

   b. porque no quiso hablar con Clarinete y Estrellita

   c. porque no quiso salir de su cuarto

5. ¿Qué ayudó a Edmundo a cambiar de actitud?

   a. los primos

   b. los regalos

   c. el sueño

6. ¿Qué lección aprendió Edmundo?

Así se dice

La **letra h** no se pronuncia. No tiene ningún sonido, pero debe escribirse en las palabras que la lleven. La **h** puede aparecer al principio o en el medio de una palabra.

➤ **h**ogar   **h**ijo   almo**h**ada   a**h**ora

1. Identifica la palabra correcta.

    a. habitación / abitación   c. historietas / istorietas
    b. hido / ido   d. hablar / ablar

2. Busca la palabra que significa lo mismo en la lectura. El número dice en qué segmento está la palabra.

    a. regañado por algo que ha hecho o dicho (1)
    b. maleducado (45)
    c. extraño o distinto (65)

3. Escribe una oración con las palabras de la actividad anterior.

Una **analogía** es la semejanza o parecido que hay entre dos o más palabras, cosas o ideas.

➤ carro : automóvil :: fiesta : celebración

(carro es a automóvil, como fiesta es a celebración)

➤ comer : hambre :: beber : sed

(comer es a hambre, como beber es a sed)

4. Escoge la palabra que completa la analogía. Usa el diccionario.

    reconocer   bostezar   reflexionar

    a. reír : felicidad ::   : cansancio
    b. escuchar : oír ::   : pensar
    c. perdonar : disculpar ::   : aceptar

Así se escribe

Los **sustantivos** son palabras que nombran personas, lugares, animales y objetos.

> ➤ niña, casa, gato, manzana

1. Identifica los sustantivos en estas oraciones.

   a. Estrellita y Clarinete están al lado de una habitación cerrada.

   b. Al primo Edmundo lo han reñido por malcriado.

   c. Ya llegó mi cumpleaños, el mejor día del año.

   d. Tuve el mejor de los maestros: el sueño.

Los **adjetivos** son palabras que describen cómo es una persona, un lugar, un animal o un objeto.

> ➤ hermosa, soleado, peludo, redonda

2. Escoge el adjetivo que completa la oración.

   a. Mi padre me castigó. Él está (enojado / alegre) conmigo.

   b. Yo le grité a mi hermano. Fui (aburrido / grosero).

   c. Ésa no es una (buena / maleducada) idea.

   d. La mamá de Edmundo está (recapacitada / orgullosa) de su hijo.

Los **sustantivos** y **adjetivos** deben **concordar** en género (masculino o femenino) y número (singular o plural).

> ➤ La niña es alta. El niño es bajo. Los niños son buenos.

3. Corrige el error de concordancia en el adjetivo subrayado en estas oraciones.

   a. Los primos son inteligente.

   b. El niño es malcriada.

   c. Mi mamá y mi prima son bonitos.

A escribir

● Lee los dos primeros actos de la obra. ¿Qué pasó en la cocina, antes de comenzar la obra? Escribe un diálogo entre Edmundo y sus padres, cuando ellos lo regañaron en la cocina.

Antes de leer

¿Cómo son las calles de tu comunidad?

Las casas o apartamentos de tu comunidad, ¿son todas iguales? Explica.

¿Qué es un desastre natural?

Un cuento con mucho viento

Carlos R. Gesualdi

1   Antes del viento, esta ciudad era muy ordenada.

2   Todas las paredes estaban pintadas del mismo color, todos los tejados parecían recién puestos y hasta las ventanas eran iguales en todas las casas de la ciudad. Bueno, no en todas. Había una casa que era distinta.

3   Los árboles de los jardines tenían la misma altura y hasta el césped crecía con el mismo tamaño. Nadie dejaba que creciera demasiado, ni que salieran malas hierbas o plantas extrañas. Bueno, nadie no. Había una familia que era distinta.

4   Todas las casas de la ciudad, menos una, eran también iguales por dentro. Cada casa tenía dos plantas, con dos habitaciones y un cuarto de baño en cada planta. Además, tenían una cocina y un pequeño jardín. En aquellas viviendas todo estaba tan ordenado que parecía que nadie las habitaba. Por eso, si alguien se equivocaba de casa y, en vez de entrar en la suya, entraba en la del vecino, ni siquiera se daba cuenta.

5   Pero había una casa en la ciudad que era distinta, muy distinta a las demás.

6   En esta casa había paredes pintadas a rayas de distintos colores, las ventanas eran todas diferentes entre sí y el tejado parecía una vieja manta remendada.

7   Las habitaciones de esta casa eran absurdas: había un cuarto de baño que estaba en medio del salón y, donde debía estar el cuarto de baño, había un pasillo que no llevaba a ninguna parte. Además, no había cocina. En cambio, había cuatro cuartos de baño y sólo dos dormitorios.

8   En aquella casa, todo estaba tirado por el suelo o abandonado en cualquier sitio y de cualquier manera. Si algún miembro de la familia quería buscar, por ejemplo, la leche, no sólo tenía que abrir la nevera, sino también los armarios, y hasta tenía que mirar en los cuartos de baño y debajo de las camas. Era un auténtico desastre.

9   El jardín parecía una selva, con el césped sin cortar y enormes árboles muy frondosos, cuyas ramas invadían la casa y entraban por las ventanas.

10   Si alguien se equivocara de casa y entrase en ésta, se volvería completamente loco. Pero era imposible que, en aquella ciudad, alguien confundiera una casa normal con este lugar tan desastroso, que parecía habitado por extraterrestres.

11   Hasta que, un día, algo pasó, algo que cambió toda la ciudad.

12   Y no fueron los marcianos los que vinieron desde Marte para invadirla. Ni fueron los habitantes de la ciudad los que convencieron a la familia desastrosa para que ordenara y arreglara su casa. Ni tampoco fue la familia desastrosa la que convenció al resto de sus vecinos para que desordenaran sus casas.

13   Lo que ocurrió fue más asombroso. Y más inesperado.

14   Comenzó con una pequeña brisa que, poco a poco, fue haciéndose más y más fuerte. En un par de horas soplaba ya un viento feroz. La gente se encerró en los sótanos de sus casas, para evitar que aquel vendaval se los llevase volando por los aires.

15   El viento era tan potente que levantó los tejados, arrancó las ventanas de sus marcos y se llevó la pintura de las paredes.

16   Aquel huracán era tan terrible que derribó los árboles y los partió como si fueran débiles cerillas de madera. Después esparció por los jardines ramas y árboles enteros que llegaban volando por los aires. También salió volando el césped. Ahora, el cielo parecía el suelo.

17   El viento se coló también dentro de las casas. Sacó la ropa de los armarios, desordenó los cajones, deshizo las camas y abrió las neveras. Desparramó los libros de las bibliotecas, tiró los juguetes de las estanterías y rompió los cuadros que colgaban en las paredes. Arrastró las lavadoras de las cocinas y las llevó a los dormitorios; empujó las camas de los dormitorios hacia los baños; y hasta arrancó los lavabos para llevarlos quién sabe adónde.

18   Cuando al fin terminó el vendaval, la ciudad parecía otra. Las paredes estaban pintadas a trozos, las casas no tenían ventanas y los tejados parecían viejas mantas remendadas. Los cuartos de baño estaban en medio del salón y las cocinas en el lugar que antes ocupaban los cuartos de baño.

19   Los jardines eran como selvas salvajes, sin césped, sin flores y con abundante maleza invadiéndolo todo.

20   Sólo una casa estaba impecable: la casa de la familia desastrosa. El viento, allí, había hecho lo contrario que en el resto de la ciudad: había traído césped desde un campo de golf para tapizar el pequeño jardín; había traído tejas iguales, que ahora relucían bien colocadas en el tejado; había ordenado las habitaciones; y también había quitado el cuarto de baño del centro del salón.

21   Ahora, esa casa era la única vivienda ordenada en toda la ciudad.

22   Claro que no duró así mucho tiempo, aunque nunca volvió a ser tan desastrosa como antes. Ahora era una casa bastante normal.

23   Tampoco las otras casas de la ciudad volvieron a ser tan impecables y ordenadas como antes de llegar el viento. Ahora eran casas normales.

24   La ciudad entera, tras el paso del viento se convirtió en una ciudad normal. Es cierto que no es una ciudad desastrosa, pero tampoco es tan ordenada como lo era antes de que llegara el viento, el viento que cambió aquella ciudad para siempre. O al menos hasta que ocurra alguna otra cosa asombrosa.

Comprendo lo que leí

1. Antes del viento, ¿qué pasaba si alguien entraba en la casa del vecino en vez de entrar en su casa?

   a. Se asustaba y le pedía disculpas al vecino.

   b. Se ponía a cortar el césped con el vecino.

   c. No se daba cuenta de que estaba en otra casa.

2. ¿Por qué era absurdo uno de los cuartos de baño de la casa desastrosa?

   a. porque estaba en un pasillo

   b. porque estaba en medio del salón

   c. porque estaba en un dormitorio

3. ¿Dónde tenían que buscar la leche las personas de la casa desastrosa, además de la nevera?

   a. en la casa de los vecinos

   b. en los armarios, los cuartos de baño y debajo de las camas

   c. en el jardín de la casa

4. ¿Qué hizo el viento?

   a. Arregló todas las casas en la ciudad.

   b. Rompió todas las paredes de las casas.

   c. Cambió todo a lo contrario de lo que era al principio.

5. ¿Qué pasó en la ciudad poco tiempo después del vendaval?

   a. La ciudad se convirtió en una ciudad normal.

   b. Todos los vecinos se fueron de la ciudad.

   c. Las casas volvieron a ser tan ordenadas como antes.

6. ¿Por qué el cuento dice que el tejado de la casa distinta parecía "una vieja manta remendada"?

Así se dice

Los **antónimos** son palabras que tienen significados opuestos.

➤ fácil / difícil   subir / bajar

1. Identifica los antónimos en estas oraciones.

   a. Ana ordenó su cuarto y Miguel lo desordenó.

   b. Todas las casas eran iguales, menos una, que era distinta.

   c. Las habitaciones eran absurdas, no estaban en un lugar lógico.

   d. Ana hizo su cama y el viento la deshizo.

2. Busca la palabra que significa lo mismo en la lectura. El número te dice en qué párrafo está la palabra.

   a. los pisos en que se divide una casa o edificio (4)

   b. con muchas hojas y ramas (9)

   c. que es un desastre (10)

3. Escribe una oración con cada una de las palabras de la actividad anterior.

Recuerda que una **analogía** es la semejanza o parecido que hay entre dos o más palabras, cosas o ideas.

➤ carro : automóvil :: fiesta : celebración

➤ comer : hambre :: beber : sed

4. Escoge la palabra que completa la analogía. Usa el diccionario.

asombroso   impecable   desastrosa

   a. grande : enorme :: limpio:

   b. hermosa : horrible :: estupenda :

   c. rápido : veloz :: sorprendente:

Así se escribe

Las **oraciones** tienen dos partes: **sujeto** y **predicado**. El sujeto es la persona, objeto o animal del que se habla en la oración. El predicado es lo que se dice del sujeto. El sujeto y el verbo del predicado deben concordar.

➤ Los jardines eran como selvas salvajes.
sujeto: los jardines   **predicado**: eran como selvas salvajes

1. Identifica el sujeto y el predicado en estas oraciones.

    a. El árbol del jardín es enorme y frondoso.
    b. Todas las paredes estaban pintadas a trozos.
    c. Esa casa era la única vivienda ordenada.
    d. Los jardines eran como selvas salvajes.
    e. Aquel huracán era tan terrible que derribó los árboles.

El **artículo indefinido** (**un**, **una**, **unos**, **unas**) se usa para hablar de algo que no es específico. El **artículo definido** (**el**, **la**, **los**, **las**) se usa para hablar de algo específico.

➤ **indefinido**: Conozco a **una** maestra.   ➤ **definido**: Conozco a **la** maestra de español.

2. Completa el párrafo con los artículos apropiados.

> Las casas de ___ ciudad eran iguales. Pero había ___ casa que era distinta. ___ paredes eran de colores diferentes. La casa tenía ___ pasillo que no llevaba a ninguna parte. En ___ salón había ___ baño. ¡Qué casa desastrosa!

A escribir

● ¿Por qué hay una sola casa impecable al final del cuento? ¿Por qué no se quedó así durante mucho tiempo? ¿Por qué las otras casas no vuelven a estar tan impecables y ordenadas como antes? Escribe un párrafo.

> **Antes de leer**
>
> ¿Qué sabes acerca de los terremotos?
>
> ¿Qué sabes acerca de los volcanes?
>
> ¿Has visto un volcán alguna vez? ¿Dónde?

Santa Ana

Izalco

San Salvador

Océano Pacífico

gases

lava   cráter

Mapa de la costa del Pacífico de El Salvador con los volcanes más conocidos: Santa Ana, Izalco y San Salvador

El Salvador, tierra de volcanes

María Á. Pérez

1   El Salvador es el país más pequeño de América Central, pero está muy poblado. En este pequeño país viven más de seis millones de personas. El Salvador es famoso por sus volcanes, ya que tiene más de veinte. Por eso se dice que El Salvador es una tierra de volcanes.

2   Los volcanes son aberturas en la superficie de la Tierra. Generalmente tienen forma de cono y en la cima hay un cráter. Cuando un volcán entra en erupción, suben del interior de la Tierra hacia la superficie gases y roca derretida que salen por el cráter. Esta roca derretida se llama lava, y su temperatura puede llegar a alcanzar 1,200 grados centígrados.

3   La abundancia de volcanes en El Salvador es debida a que el país se encuentra en el llamado Cinturón de Fuego del Pacífico. Se le llama así a la zona que rodea el océano Pacífico y donde están la mayoría de los volcanes del planeta. En esta zona hay muchos terremotos.

Vista de los volcanes Izalco y Cerro Verde, El Salvador

4   La superficie de la Tierra está formada por placas, o trozos enormes de roca, que encajan como las piezas de un rompecabezas. A veces estas placas chocan entre sí y se empujan. Esto causa terremotos y ayuda a formar montañas y volcanes. En el Cinturón de Fuego del Pacífico hay mucha actividad sísmica y volcánica porque en esta zona se juntan varias placas.

5   El volcán Izalco es probablemente el volcán más conocido de El Salvador. Está ubicado en el oeste del país y entró en erupción hace más de doscientos años. Fue uno de los volcanes más activos de El Salvador pues tuvo más de cincuenta erupciones entre 1770 y 1958.

6   Tanta era la actividad y fuerza de las erupciones del Izalco que desde los barcos que navegaban por el océano Pacífico se veía la luz de la lava ardiendo expulsada por este volcán. Esta luz les servía de guía a los barcos y por eso el volcán Izalco se conocía como el "Faro del Pacífico". Hoy en día el Izalco está tranquilo. La última erupción fue bastante pequeña y tuvo lugar en 1966.

El volcán Izalco

Cinturón de Fuego del Pacífico

7   Otro volcán famoso de El Salvador es el volcán Santa Ana, localizado también en el oeste del país, cerca del volcán Izalco. El volcán Santa Ana es la montaña más alta de El Salvador. Empezó su actividad hace casi quinientos años y ha hecho erupción unas trece veces desde entonces.

8   La última erupción del volcán Santa Ana ocurrió en 2005. En esta erupción, el Santa Ana expulsó ceniza y lava ¡y hasta rocas del tamaño de un automóvil! La lava y la ceniza dañaron la vegetación de los alrededores y afectaron los cultivos de la zona. Este volcán sigue activo, lo que significa que puede volver a hacer erupción en un futuro cercano.

Una caminata atravesando los volcanes Cerro Verde y Santa Ana

El volcán Santa Ana (también llamado Llamatepec), lanzando rocas y ceniza (2005)

9   Los volcanes son tan comunes en El Salvador que hasta hay uno justo detrás de la capital del país: el volcán San Salvador. Los científicos lo vigilan atentamente, ya que una erupción podría causar mucho daño en la ciudad de San Salvador, donde viven dos millones de personas. La última erupción de este volcán fue en 1917.

10   El volcán San Salvador está en el Parque Nacional El Boquerón, a unos quince minutos de la ciudad de San Salvador. Los visitantes pueden pasear por los senderos del parque, bajar con un guía hasta el fondo del cráter del volcán y hacer ciclismo de montaña.

11   Los volcanes son parte del paisaje y de la historia de El Salvador. El pueblo salvadoreño ha aprendido a vivir en una tierra de volcanes, admirando, respetando y también disfrutando de su belleza.

Vistas del volcán San Salvador desde la capital

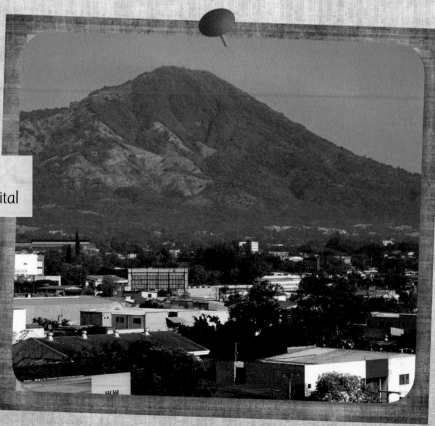

Comprendo lo que leí

1. ¿Dónde están la mayoría de los volcanes de la Tierra?

   a. en el Caribe

   b. en el Pacífico

   c. en el Atlántico

2. La superficie de nuestro planeta está formada por...

   a. volcanes.

   b. lava.

   c. placas.

3. ¿Qué expulsan los volcanes?

   a. gases y lava

   b. agua y gases

   c. lava y agua

4. ¿Qué volcán era conocido como el "Faro del Pacífico"?

   a. el volcán Santa Ana

   b. el volcán Izalco

   c. el volcán San Salvador

5. ¿Cuál es el volcán más alto de El Salvador?

   a. el volcán Santa Ana

   b. el volcán Izalco

   c. el volcán San Salvador

6. ¿Cómo se sabe cuándo va a hacer erupción un volcán?

Así se dice

La **sílaba tónica** es la sílaba que se pronuncia más fuerte en una palabra. Cuando la sílaba tónica cae en la última sílaba, la palabra es **aguda**; cuando cae en la penúltima sílaba, la palabra es **llana** (o **grave**) y cuando cae en la antepenúltima sílaba, la palabra es **esdrújula**.

➤ pa-pá: la sílaba tónica es **pá** (aguda)

➤ a-ma-do: la sílaba tónica es **ma** (llana/grave)

➤ é-ra-se: la sílaba tónica es **é** (esdrújula)

1. Separa en sílabas las palabras. Identifica las palabras agudas, llanas y esdrújulas.

    a. volcán
    b. Pacífico
    c. automóvil
    d. placas

    e. actividad
    f. paisaje
    g. América
    h. Cinturón

    i. empezó
    j. océano
    k. vivir
    l. sísmica

2. Busca la palabra que significa lo mismo en la lectura. El número dice en qué párrafo está la palabra.

    a. la parte más alta de una montaña (2)
    b. una región, lugar o área geográfica (3)
    c. localizado, que está en un lugar (5)
    d. que está en actividad o puede estarlo (8)
    e. con atención o interés (9)

3. Escribe una oración con cada una de las palabras de la actividad anterior.

4. Escoge la palabra que completa la analogía. Usa el diccionario.

    abundancia   abertura   sendero

    a. avenida : calle :: camino :
    b. cerro : montaña :: hueco :
    c. pobreza : riqueza :: escasez :

Así se escribe

Las palabras **llanas** (o **graves**) llevan **acento gráfico** (o **tilde**) sólo cuando terminan en una consonante, que no sea **n** o **s**. Todas las palabras **esdrújulas** llevan un acento gráfico (o tilde).

➤ llanas: **ár**bol **dó**lar ➤ esdrújulas: **mú**sica **úl**timo **pá**jaro A**mé**rica

1. Escribe el acento gráfico en las palabras que lo necesitan.

    a. volcanes
    b. Pacifico

    c. sismica
    d. cientificos

    e. ultima
    f. afectaron

Cuando se hace una **comparación** de las cualidades o características entre dos o más objetos o personas, se usan expresiones como **más… que**.

➤ Él es **más rápido que** yo. Ella es **más bella que** una flor.

2. Escoge la frase que completa la oración.

    a. La ciudad de San Salvador es (la más poblada / más poblada que) la ciudad de Santa Ana.

    b. El volcán Santa Ana es (el más activo / más activo que) el volcán San Salvador.

Los **adverbios** son palabras que modifican el significado de un verbo, un adjetivo u otro adverbio y dicen **de qué modo** se hace algo, **dónde** se hace, **cuándo** se hace o **cómo** pasa. Hay adverbios que se forman añadiendo la terminación -**mente** a un adjetivo.

➤ Pablo camina **lentamente**. Luisa y María caminan **rápidamente**.

3. Cambia los adjetivos a adverbios terminados en -*mente*.
   Luego escribe una oración con cada adverbio.

    a. probable
    b. frecuente
    c. fácil

    d. real
    e. atento
    f. sincero

A escribir

● Compara los volcanes de El Salvador. ¿En qué se parecen?
   ¿En qué se diferencian? Escribe un párrafo.

Antes de leer

¿Qué música escuchas en las celebraciones de tu familia?

¿Bailan las personas en estas celebraciones?

¿Te gusta cantar? ¿Te gusta bailar? ¿Por qué?

Agapito, el coquí trovador

Jessenia Pagán Marrero
adaptación

1   El cartero llegó temprano, como todos los días y con él, la invitación a las Fiestas Verdes de Navidad. En ellas, se celebraría un concurso de trovadores.

    —¡Levántate, Agapito! —le dijo doña Carmelita a su hijo—. Llegó una invitación para las Fiestas Verdes. ¡Este año habrá un concurso de trovadores!

2   Esa mañana, Agapito estuvo muy contento. Al día siguiente, fue a las oficinas del Consejo de la Fauna Boricua a inscribirse para la competencia. Allí vio al gallo Yuyín; a Pancho, el sapo concho; y a Lolita, la ruiseñor. Todos habían ido a inscribirse.

    —¿Qué haces aquí, Agapito? —preguntó el gallo Yuyín.

    —Vine a inscribirme en el concurso de trovadores —contestó con emoción Agapito.

    —¿Tú? ¡Ja, ja! ¡No me hagas reír! —dijo a carcajadas Pancho, el sapo concho.

    —¿Por qué dices eso? —preguntó Agapito con tristeza.

    —Eres muy pequeño —dijo con pena Lolita, la ruiseñor—. Tu canto apenas va a escucharse.

    —Además, seguramente no sabes lo que es una décima —añadió Yuyín.

    —Las décimas son muy importantes para nuestra música puertorriqueña —dijo Lolita.

3   De camino a su casa, Agapito iba pensando en lo que dijo Lolita. Aunque se sentía un poco triste por lo que le dijeron los demás, decidió que competiría.

—Papá, necesito que me ayudes —pidió Agapito—. Por favor, necesito que me enseñes todo lo que sepas de la décima puertorriqueña.

—Pues lo primero que debes saber es que una décima tiene diez versos —dijo el papá, sintiéndose todo un maestro trovador—. Cada verso debe tener ocho sílabas. Pero, ¿sabes qué es lo más importante en una buena décima?

—¡Dime, papá, dime! —suplicó Agapito.

—La rima —dijo don Mario—. La rima es muy importante.

4   Agapito y su papá hablaron y aprendieron sobre la décima puertorriqueña por varios días. Todas las noches Agapito cantaba con él. A doña Carmelita le gustaba escucharlos.

5   Después de tanto ensayar, las Fiestas Verdes de Navidad, por fin, llegaron. Agapito estaba muy nervioso.

—¡Así que decidiste competir! —dijo Pancho, el sapo concho—. Pensé que te habías arrepentido.

—No tenía por qué arrepentirme —respondió Agapito muy seguro—. Cantaré... Y cantaré bien.

6   La competencia comenzó. Lolita, la ruiseñor, tuvo el primer turno. Tan pronto la ruiseñor empezó a cantar, todo el mundo hizo silencio. Hasta Yuyín y Pancho se quedaron mudos por la belleza de su voz.

7   Luego, llegó el turno de Yuyín. Su voz era fuerte, como su cantar en todas las madrugadas. Sus décimas expresaron el orgullo que sentía de levantar todos los días a su gente.

8   Agapito estaba emocionado. ¡Todos cantaban tan bien! Las décimas eran bonitas y la gente estaba contenta.

—¡Qué bonito cantó Lolita! —le dijo con emoción a Pancho—. ¡Y que voz tan fuerte tiene Yuyín!

—Y eso, ¡que no me has oído cantar! —dijo con un poco de envidia el sapo—. Yo ganaré la competencia. Tú deberías irte a tu casa. Obviamente, no ganarás.

—No vine a ganar, vine a cantar décimas —dijo con firmeza Agapito.

9   Pancho estaba tan enfrascado en la conversación con Agapito, que no se dio cuenta que ya era su turno. Al salir a toda prisa al escenario, el sapo vio cuánta gente esperaba por oír su canto y se puso muy nervioso. La música sonaba y sonaba, pero no empezaba a cantar.

10   Pancho no sabía qué hacer. Las palabras no salían de su boca. En medio de la desesperación, miró a Agapito. Sin pensarlo dos veces, el pequeño coquí salió al escenario, se paró junto a Pancho y empezó a cantar:

11   Mi amigo está emocionado,
es la emoción de cantar,
y entre versos exaltar,
con su ser apasionado,
la décima que ha olvidado.

12   Y hoy yo canto por él,
y vengo a nuestro vergel,
a pedir lo que aquí muestro,
que no olvidemos lo nuestro,
y a nuestra música ser fiel.

13   Agapito cantó con todo su corazón. Al terminar, el público aplaudió y gritó.

—Gracias, Agapito —dijo el sapo Pancho—. No merecía tu ayuda.

—Todos merecemos ayuda —dijo con una gran sonrisa Agapito—. La música es para todos.

14   El público esperaba con avidez los resultados del concurso. Minutos después, a la tarima se acercó Cándida Cotorrales, presidenta del Consejo de Fauna Boricua. Se dirigió al público y dijo lo siguiente:

—Señoras y señores, ¡ya tenemos un ganador! Por su linda voz, sus versos elegantes y por ser un buen competidor, ¡hoy anunciamos que la Copa Verde al Trovador del Año es para Agapito del Monte Saltarín!

15   Cuando Agapito recogió su copa, la presidenta del Consejo le dijo:

—Gracias, pequeño, por recordarnos que debemos valorar, respetar y amar nuestra música y nuestras tradiciones.

16   Al escuchar estas palabras, Agapito sonrió lleno de orgullo.

Comprendo lo que leí

1. En las Fiestas Verdes hay un concurso de...

    a. bailarines.
    b. trovadores.
    c. rimas.

2. ¿Qué hace Pancho cuando ve que Agapito quiere inscribirse en la competencia?

    a. Se enoja con Agapito.
    b. Felicita a Agapito.
    c. Se ríe de Agapito.

3. ¿Qué piensa Lolita de Agapito?

    a. que es muy pequeño
    b. que es muy orgulloso
    c. que canta muy mal

4. Según el cuento, ¿qué es una décima?

    a. un poema o canción de ocho versos, cada uno de diez sílabas
    b. un poema o canción de diez versos, cada uno de ocho sílabas
    c. un poema o canción de diez sílabas, cada uno de ocho versos

5. ¿Cómo se sentía Agapito durante la competencia?

    a. envidioso
    b. desesperado
    c. emocionado

6. ¿Cómo ayudaba a mantener las tradiciones puertorriqueñas la competencia de trovadores?

Así se dice

Cuando una palabra tiene más de un significado, es importante leer la oración o el párrafo donde aparece la palabra para saber qué definición es la más apropiada. A veces, es necesario usar un **diccionario**.

➤ Él cantó una **décima** hermosa. (poesía o canción)

➤ Ella será la **décima** cantante. (número 10)

1. Lee la oración. Escribe la definición correcta de la palabra subrayada. Usa el diccionario.

   a. Agapito se quería <u>inscribir</u> en un concurso.

   b. Él es un coquí muy dulce y <u>noble</u>.

   c. Al gallo le gusta <u>levantar</u> a la gente por las mañanas.

   d. Debemos <u>valorar</u> nuestras tradiciones.

   e. La presidenta del <u>Consejo</u> entregó el premio.

2. Busca la palabra que significa lo mismo en la lectura. El número dice en qué segmento está la palabra.

   a. personas que componen y que cantan décimas (1)

   b. líneas de una poesía o canción (3)

   c. escenario, espacio de un teatro (14)

   d. que gana un premio (14)

3. Escribe una oración con cada una de las palabras de la actividad anterior.

4. Escoge la palabra que completa la analogía. Usa el diccionario.

madrugada   vergel   avidez

   a. felicidad : alegría :: ansia :

   b. pájaro : ave :: huerto :

   c. crepúsculo : anochecida :: aurora :

Así se escribe

Cuando hay dos vocales juntas, una fuerte (**a**, **e**, **o**) y una débil (**i**, **u**) se forma un **diptongo**. Pero cuando la fuerza de la pronunciación cae sobre la vocal débil, a ésta se le marca el **acento gráfico** (o **tilde**) y **se rompe el diptongo**.

➤ vacío: va-**cí-o**   países: p**a-í**-ses   tenía: te-n**í-a**   acentúa: a-cen-t**ú-a**

1. Escribe el acento gráfico en las palabras que lo necesitan.

   a. dia
   b. bueno
   c. alegria

   d. reir
   e. deberia
   f. anunciamos

Algunas palabras, o términos, suenan parecidas pero se escriben de forma diferente.

➤ asimismo   así mismo   ➤ sino   si no

2. Escoge la palabra o palabras que mejor completan la oración.

   a. ¿(Por qué / Porque) quieres cantar?
   b. (Por qué / Porque) me gusta la música.
   c. (También / Tan bien) me gusta bailar.

Las **conjunciones** se usan para unir palabras u oraciones. Algunas de las conjunciones más usadas son: **y**, **o**, **pero**, **que**, **aunque**, **si**.

➤ El gallo cantaba y cantaba, **pero** el niño no se levantaba de la cama.

3. Identifica las conjunciones en estas oraciones.

   a. La música sonaba, pero Pancho no empezaba a cantar.
   b. Yo quiero cantar bien, aunque no gane.
   c. Si piensas hacerlo, debes hacerlo bien.

A escribir

● ¿Cuál es tu parte favorita del cuento? ¿Por qué? ¿Qué detalles puedes agregar para que esa parte sea aún más divertida? Escribe un párrafo.

Antes de leer

¿Qué frutas y verduras son nativas de Estados Unidos?

¿Qué frutas y verduras vienen de otros países?

¿Comes hoy lo que la gente comía hace mil años? Explica.

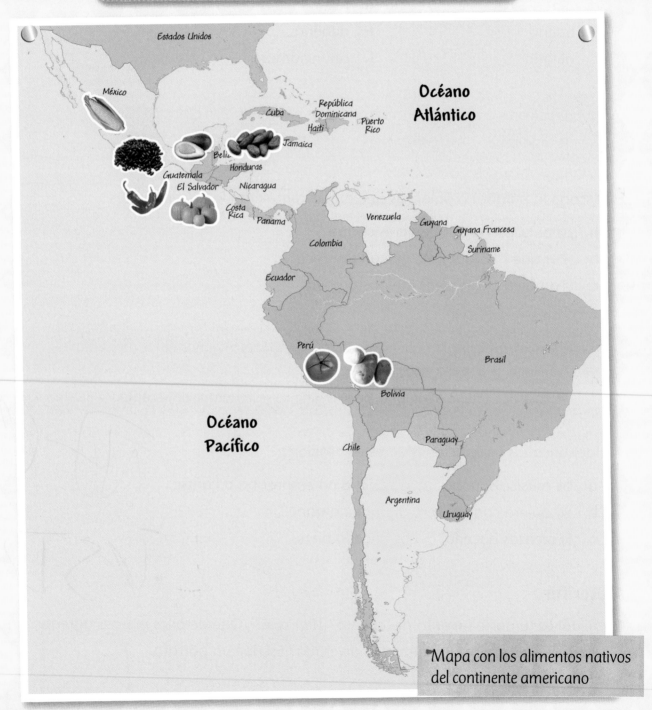

Mapa con los alimentos nativos del continente americano

Los alimentos del continente americano

María Á. Pérez

1   Muchos de los alimentos que comemos hoy en día vienen del continente americano. Antes de la llegada de los europeos, los habitantes de América habían logrado domesticar muchas plantas y las cultivaban para comer lo que producían.

2   Esos cultivos ayudaron al desarrollo de las grandes civilizaciones del continente americano: los aztecas, los mayas y los incas.

El maíz

3   Éste era el alimento principal de los pueblos que vivían en el continente americano antes de la llegada de los europeos. Los científicos creen que la planta del maíz es originaria de México. En sus comienzos era "teosinte", una hierba silvestre, pero tenía unas pequeñas semillas que le gustaron al ser humano. Poco a poco los pobladores de las zonas donde crecía esta planta comenzaron a sembrarla y a seleccionar los mejores granos. De esta manera empezaron a domesticar la planta hace más de 8,000 años.

4   Había muchos intercambios comerciales entre los habitantes del continente americano. Probablemente, fue a través de estos intercambios que las semillas del maíz fueron pasando de una mano a otra y su cultivo se propagó por todo el continente. Cuando Cristóbal Colón llegó a las islas del Caribe, donde habitaban los taínos, éste vio el maíz por primera vez.

Plantación de maíz

151

Sembrado de tomates

Variedad de calabaza

El frijol

5   El segundo cultivo en importancia para el desarrollo de las culturas americanas, después del maíz, eran los frijoles. Había distintas variedades de frijol que crecían de modo silvestre por todo el continente americano. Pero, hace alrededor de 8,000 años, los habitantes de lo que es hoy México y Guatemala (así como los que vivían en la parte centro y sur de América del Sur) empezaron a cultivar estas plantas. Después de miles de años de sembrar y seleccionar las semillas que más les gustaban, estos habitantes produjeron las variedades de frijoles que hoy conocemos y comemos.

La calabaza

6   La calabaza fue una de las primeras plantas, junto con el maíz y los frijoles, que los antiguos habitantes de México y América Central comenzaron a cultivar. Al principio, la calabaza se sembraba por sus semillas, que era lo que se comía, pues la pulpa era muy amarga. Con el tiempo, sin embargo, los agricultores fueron seleccionando las calabazas más dulces y plantando esas semillas hasta lograr una calabaza comestible. También comían las flores de la calabaza, y hoy en día estas flores todavía se comen en México y América Central.

El tomate

7   El tomate es uno de los alimentos que más se consume en el mundo. Los científicos creen que la planta del tomate es nativa de Perú. Sin embargo, se cree que los aztecas, en México, fueron los primeros que empezaron a cultivar el tomate.

El chile

8   El chile, también conocido como "pimiento" o "ají", es otro alimento originario del continente americano. Algunas variedades se empezaron a cultivar en el sur de México y en el norte de Guatemala. Otras variedades se domesticaron en distintas regiones de América del Sur. Los mayas y los aztecas hacían salsas con el chile y les añadían estas salsas a la comida.

El cacao

9   Los científicos creen que esta planta se empezó a cultivar en Guatemala o en el sur de México. Los mayas eran los principales productores de cacao antes de la llegada de los europeos.

10   El árbol del cacao produce un fruto que tiene unas semillas en su interior. Estas semillas se secan y se tuestan, y luego se muelen hasta formar un polvo fino. Con este polvo, mezclado con agua, los mayas y los aztecas hacían una bebida amarga llamada "chocolate". Las semillas del cacao eran tan apreciadas que se utilizaban como moneda.

El aguacate

11   El aguacate es un árbol originario del sur de México y Guatemala. Los científicos creen que los habitantes de estas zonas comenzaron a consumir los pequeños frutos que producía este árbol hace unos 7,000 años. Después fueron seleccionando y sembrando las mejores semillas hasta lograr un fruto mayor. De México y América Central, el aguacate llegó a Perú, donde lo llamaban "palta". Los aztecas preparaban una salsa de aguacate llamada "huacamolli", que conocemos hoy en día como guacamole.

Cosecha de cacao

Cosecha de chiles

Aguacates

153

La papa

12   La papa era una planta que crecía de forma silvestre en Perú y Bolivia. Los habitantes de esa zona empezaron a cultivarla hace aproximadamente unos 7,000 años. La papa tiene muchas vitaminas y por eso era el cultivo principal de los incas.

13   Tan importante era la papa para los incas, que inventaron un sistema para conservarla por largos períodos de tiempo. Ellos dejaban las papas al aire libre por varios días en las montañas nevadas para que se congelaran. Luego, las secaban al sol y las aplastaban para sacarle toda el agua hasta que quedaban como polvo. Este polvo, llamado "chuñu", lo podían guardar por varios años. Para comerlo, se mezclaba con agua y resultaba una pasta parecida al puré de papa.

14   Además de estos alimentos, también son del continente americano el boniato (camote), la yuca, el maní (cacahuate), la vainilla, la guayaba, la piña, la papaya, el mamey y el pavo.

15   Sin estos alimentos, no tendríamos papas fritas, pizza, tacos, chocolate, cereales de maíz, ni sándwiches de mantequilla de maní. Gracias a la sabiduría y destreza de los antiguos agricultores del continente americano, podemos disfrutar hoy en día de todos estos alimentos y nuestra dieta puede ser, por lo tanto, rica y variada.

Cosecha de papas

Variedad de papas en la región de los Andes

Comprendo lo que leí

1. ¿Cuál era el alimento más importante en el continente americano?

   a. el tomate
   b. el maíz
   c. el frijol

2. ¿Por qué sembraban la calabaza al principio?

   a. por sus semillas
   b. por su pulpa
   c. por sus flores

3. ¿Cuáles eran los tres cultivos principales en México y América Central?

   a. el cacao, el maní y el aguacate
   b. el chile, la papa y el tomate
   c. el maíz, el frijol y la calabaza

4. ¿Qué hacían los mayas y los aztecas con el chile?

   a. Preparaban tortillas.
   b. Preparaban salsas.
   c. Preparaban bebidas.

5. ¿Por qué la papa era el cultivo principal de los incas?

   a. por sus vitaminas
   b. por su tamaño
   c. por su variedad

6. ¿Qué alimento del continente americano es tu favorito? ¿Por qué es importante ese alimento?

Así se dice

El **español** se habla en más de veinte países. Por eso es común que haya **variaciones lingüísticas** en algunas palabras entre un país y otro.

➤ frijol (México, América Central y Cuba) – habichuela (Puerto Rico y República Dominicana) – caraota (Venezuela) – fríjol (Colombia) – frejol (Ecuador, Perú) – poroto (resto de América del Sur) – alubia (España)

1. Identifica las palabras que nombran el mismo alimento. Usa el diccionario.

   a. chile   pimiento   elote   tomate

   b. aguacate   ají   palta   ananá

   c. papa   boniato   calabaza   camote

   d. frijol   maní   cacahuate   cacao

2. Escoge la palabra que significa lo mismo que la palabra subrayada en las oraciones. Usa el diccionario.

   a. Muchos alimentos <u>provienen</u> del continente americano. (son / están)

   b. Los habitantes del continente americano <u>cultivaban</u> muchas plantas. (tenían / sembraban)

   c. La agricultura <u>favoreció</u> a las civilizaciones de América. (ayudó / congeló)

3. Busca la palabra que significa lo mismo en la lectura. El número dice en qué párrafo está la palabra.

   a. que crece de forma natural en los campos (5)

   b. de sabor ácido (10)

   c. comer alimentos o tomar bebidas (11)

4. Escribe oraciones con las palabras de la actividad anterior.

5. Escoge la palabra que completa la analogía. Usa el diccionario.

propagar   cultivar   congelar   domesticar

   a. andar : caminar :: sembrar : ▢

   b. organizar : ordenar :: extender : ▢

   c. seleccionar : escoger :: dominar : ▢

   d. calentar : enfriar :: derretir : ▢

Así se escribe

Se usan **pronombres reflexivos** cuando la persona que hace la acción es la misma persona que recibe la acción. Los pronombres reflexivos son: **me** (yo), **te** (tú), **se** (él/ella/usted), **nos** (nosotros/nosotras) y **se** (ellos/ellas/ustedes).

➤ Él **se** levanta tarde. Yo **me** como la comida.

1. Completa las oraciones con el pronombre reflexivo.

   a. Los mayas _____ alimentaban bien.

   b. Nosotros _____ comemos la comida.

   c. Tú _____ comes las verduras.

   d. Ella _____ prepara un chocolate caliente.

Recuerda que los **adverbios** son palabras que modifican el significado de un verbo, un adjetivo u otro adverbio. Los **adverbios de tiempo** (**marcadores temporales**) indican cuándo sucedió, sucede o sucederá algo. Éstos ayudan a entender una secuencia de eventos. Algunos adverbios de tiempo son:

➤ **ayer**, **hoy**, **mañana**; **antes**, **después**; **primero**, **luego**; **todavía**, **al comienzo**, **al final**

2. Identifica el adverbio de tiempo en cada oración.

   a. Había maíz en el Caribe antes de que llegara Colón.

   b. Los incas cultivaban las papas y luego las conservaban.

   c. Todavía se comen las flores de la calabaza en México.

3. Corrige el verbo subrayado en cada oración.

   a. Los europeos <u>venieron</u> a América.

   b. Los incas <u>podieron</u> domesticar la papa.

   c. Los peruanos <u>trajieron</u> el aguacate de México.

A escribir

● Imagina que tus compañeros y tú van a sembrar algunos alimentos en el jardín de la escuela. ¿Qué alimentos quieres sembrar? ¿Por qué? Escribe un párrafo para convencer a tus compañeros de que siembren esos alimentos.

Antes de leer

Cuando vas al zoológico, ¿dónde están los monos?

¿Qué hacen los monos?

¿Cómo se ven los monos: contentos o tristes, activos o inactivos, calmados o nerviosos?

Babú

Roy Berocay
fragmento

1   El que tuvo la idea fue el mono viejo.

2   Estaba ahí en su jaula, quietito, mientras los otros monos jugaban y chillaban. Era un mono viejo y por eso era el único que recordaba la selva. Entonces el mono viejo, que con el paso del tiempo se había convertido en el jefe, al que todos llamaban Babú, miró los barrotes de su jaula.

3   Y tuvo la idea.

—Tenemos que escapar —dijo bajito la primera vez y se puso de pie.

—¡Tenemos que escapar! —chilló luego a todo pulmón levantando sus largos brazos.

4   Los demás monos dejaron de jugar y se miraron entre ellos. ¿Qué es eso de escapar? ¿Escapar adónde? ¿Para qué? Algunos pensaron que Babú ya era demasiado viejo y que seguro que estaba un poco loco. ¡Todos sabían que nadie podía escaparse de aquel lugar!

5   Babú pensaba en los árboles altísimos, el alboroto increíble que hacían los monos en la selva cuando sentían peligro. Sonrió. Recordaba cómo sus mayores arrojaban frutas para pegarle al tigre que les rugía desde abajo. Recordaba también las burlas que le hacían y el enojo del tigre cuando se cansaba y se alejaba, jurando que algún día volvería para cazarlos.

6   Sin embargo, no había sido el tigre, sino el hombre, el que lo había cazado. Babú lo recordaba: un ruido fuerte, como una explosión, y después de un golpe en su brazo. No había más recuerdos. Cuando despertó, estaba en una jaula; y muchos días después, en otra jaula más grande, con decenas de monos asustados, igual que él.

7   Desde entonces vivía en esa misma jaula del zoológico y todos los días le parecían iguales.

—¿Y adónde vamos a ir? —le preguntó al rato un monito de piel más oscura y cara muy cómica, al que todos llamaban Pulguita.

—Lejos —contestó Babú—. Muy lejos, a casa.

—¿A casa? —Pulguita no entendía, siempre había vivido allí, en la jaula. Para él, el mundo era ese lugar medio apretado, donde comía, dormía y a veces, cuando los mayores no miraban, les tiraba pedazos de banana a los otros y se escondía, muerto de risa.

8   Esa noche, cuando todos dormían, los ojos de Babú brillaban en lo oscuro. De pronto Babú escuchó un sonido fuerte. Se levantó y trató de escuchar mejor. ¿Qué era eso? Sonaba como un animal ronco. Despacito se trepó a los barrotes, estiró sus largos brazos y se colgó del fierro más alto para espiar por encima del muro.

9   Entonces lo vio. Era un enorme vehículo rojo, que tenía como una gran casa atrás: un camión de carga, con una larga zorra cubierta por una lona. El camión había estacionado en la calle justo al lado del muro.

10   Babú hizo un enorme esfuerzo y se acordó de algo importante: la última parte de su viaje la había hecho en un vehículo así. Y como era muy inteligente, se daba cuenta de que la única manera de irse era haciendo lo mismo que cuando había venido, pero al revés.

11   De pronto Babú escuchó una voz. La voz cantaba.

12   Se paró de un salto y se colocó junto a los barrotes. Allá bajando por el camino, venía el viejo cuidador. Babú lo miró y sintió algo extraño. Ese era el hombre que venía por las mañanas y les daba de comer; el hombre que abría la puerta y la cerraba, con un objeto pequeño y brillante.

13   Babú se dio cuenta de que si lograba tener esa cosa brillante, podría abrir la puerta.

14   Tenía que hacer algo y rápido. Entonces miró alrededor y tuvo una gran idea. Juntó unas cáscaras de banana y las puso en el piso, delante de la entrada. Luego se puso a chillar y se tiró al suelo.

15   El cuidador escuchó el alboroto. Sacó la llave y abrió la jaula. El hombre avanzó hacia el mono viejo que lo miraba de reojo; y de pronto resbaló y cayó sentado. Entonces Babú se levantó de golpe y ordenó en idioma de mono:

    —¡Síganme!

16   Pegó un salto, llegó a la puerta que estaba sin tranca y salió. Todos los monos, que eran como veinte, saltaron al muro y siguieron a Babú hasta la parte trasera del camión. Allí el mono viejo corrió la lona y de un salto trepó a la caja.

    —¡Vamos, vamos, suban!

17   Detrás del camión, entre cajas cerradas, Babú ordenaba a los demás monos que permanecieran callados. Finalmente hubo un silencio largo y justo en ese momento se escucharon pasos fuera del camión. Babú estaba asustado. ¿Serían los hombres que venían a atraparlo otra vez?

18   Los pasos se detuvieron. Luego hubo un sonido de puerta y casi enseguida otra vez ese ruido de animal grande y ronco. El piso tembló. Los monos chillaron de miedo, pero con el sonido del motor, nadie podía oírlos. Cuando Babú logró calmarlos, se animó y se acercó a la lona. La corrió un poquito y miró hacia fuera.

19   Lo que vio lo llenó de terror: había muchas máquinas y luces que pasaban muy rápido. Había también personas que aparecían y enseguida quedaban atrás, muy atrás. Todo lo que se veía se iba rápidamente. Era una experiencia increíble. Pulguita miraba asombrado cómo el mundo se alejaba y se dio cuenta de la verdad.

—Babú —dijo acercándose al viejo—. Las cosas… las cosas no se alejan, ¿verdad?, es solo que nosotros vamos hacia delante.

20   Babú sonrió; el pequeño era muy inteligente, bastante más que muchos de los monos adultos que se abrazaban de miedo y pensaban que el mundo se escapaba de ellos.

Comprendo lo que leí

1. ¿Quién era el jefe de los monos?

   a. el cuidador del zoológico

   b. Babú

   c. Pulguita

2. ¿Quién atrapó a Babú cuando vivía en la selva?

   a. un tigre

   b. un hombre

   c. un mono

3. ¿Por qué quería escaparse Babú?

   a. porque no le gustaban los niños del zoológico

   b. porque quería tener una aventura

   c. porque quería regresar a la selva

4. ¿Dónde vivían Babú, Pulguita y los otros monos del zoológico?

   a. en un gran árbol

   b. en un camión

   c. en una jaula

5. ¿Por qué abrió el cuidador la puerta de la jaula?

   a. para ayudar a Babú

   b. para alimentar a los monos

   c. para liberar a los monos

6. ¿Qué crees que va a pasar con Babú y sus compañeros?
   ¿Por qué?

Así se dice

> **Recuerda** que un **diptongo se rompe** cuando se marca el acento gráfico (o tilde) en la vocal débil (**i, u**). Al romper el diptongo, el sonido de las vocales se pronuncia en sílabas separadas. Si se marca el acento gráfico (o tilde) en la vocal fuerte (**a, e, o**), no se rompe el diptongo y el sonido de las vocales se pronuncia en una sola sílaba.
>
> ➤ vocal débil: te-**ní-a** vi-**ví-a**   ➤ vocal fuerte: sa-**lió** **cuán**-do

1. Identifica las palabras en las que se rompe el sonido del diptongo

   a. explosión   **c.** días   **e.** dormían

   b. sabían   **d.** camión   **f.** sonrió

> Los **prefijos** son un grupo de letras que se ponen delante de una palabra para formar una nueva. Los prefijos **in-** o **im-** cambian el significado a lo opuesto.
>
> ➤ **in**cómodo (que no es cómodo)   ➤ **im**probable (que no es probable)

2. Identifica el prefijo de las palabras. Luego escribe su significado. Usa el diccionario.

   a. increíble   **c.** inactivo

   b. imposible   **d.** incorrecto

3. Busca la palabra que significa lo mismo en la lectura. El número dice en qué párrafo está la palabra.

   a. barras de metal gruesas y fuertes (8)

   b. mucho ruido y falta de orden (15)

   c. tela muy fuerte (18)

4. Escribe una oración con las palabras de la actividad anterior.

5. Escoge la palabra que completa la analogía. Usa el diccionario.

   arrojar   cazar   chillar   trepar

   a. andar : caminar :: lanzar :

   b. hablar : conversar :: gritar :

   c. caer : levantar :: bajar :

   d. soltar : atrapar :: liberar :

Así se escribe

Las **expresiones idiomáticas** son frases que significan algo diferente de lo que dicen.

➤ El niño **metió la pata** cuando no hizo caso.

significado incorrecto: El niño puso la pierna en algún lado al no hacer caso.

significado correcto: El niño se equivocó al no hacer caso.

1. Escoge el significado de la expresión idiomática subrayada.

sin mover la cabeza   contento o entretenido   con voz fuerte

a. —¡Tenemos que escapar! —chilló luego <u>a todo pulmón</u>.

b. Les tiraba pedazos de banana a los otros y se escondía, <u>muerto de risa</u>.

c. El hombre avanzó hacia el mono viejo que lo miraba <u>de reojo</u>.

Los **adjetivos demostrativos** indican la distancia entre dos o más personas u objetos.

➤ cerca: **este/esta, estos/estas**

➤ a media distancia: **ese/esa, esos/esas**

➤ lejos: **aquel/aquella, aquellos/aquellas**

2. Escoge el adjetivo demostrativo.

ese   este   aquel

a. Me gusta _____ mono que está aquí cerca.

b. Yo prefiero _____ mono que está lejos.

c. A mí me gustan tres monos: este mono grande, ____ mono pequeño y aquel mono mediano.

A escribir

● ¿Crees que los monos deben escapar del zoológico para ir a vivir en la selva? ¿Por qué sí o por qué no? Escribe un párrafo.

Antes de leer

¿Has escuchado historias sobre ciudades perdidas? ¿Cuáles?

¿Qué sabes sobre esas ciudades perdidas?

¿Qué sabes sobre la Ciudad de México?

Modelo a escala de Tenochtitlan, Museo Nacional de Antropología, México D.F.

La ciudad debajo de la Ciudad de México

María Á. Pérez

1   En la madrugada del 21 de febrero de 1978, un grupo de empleados de la compañía eléctrica trabajaba en unas calles de la zona centro de la Ciudad de México, cuando de repente encontraron una piedra muy grande y dura debajo de la tierra. No pudieron continuar con su trabajo debido al tamaño de la piedra. Llamaron entonces a la oficina de su compañía para comunicar lo que sucedía.

2   La compañía eléctrica se puso en contacto con un grupo de arqueólogos del Instituto Nacional de Antropología e Historia (INAH). Estos arqueólogos examinaron la piedra y determinaron que era un "monolito", es decir, un gran bloque de piedra que representaba a Coyolxauhqui, la diosa azteca de la Luna. Este fue el comienzo del descubrimiento del Templo Mayor azteca. Durante más de 450 años la construcción más impresionante de los aztecas había estado enterrada bajo la capital de México.

Plaza de las Tres Culturas, México D.F.

3   El Templo Mayor se encuentra debajo de la zona centro de la actual Ciudad de México. Este templo era el corazón de la ciudad de Tenochtitlan, la antigua capital del imperio azteca. Y ahora, por el agujero que habían abierto en la calle los trabajadores de la compañía eléctrica, se podía ver parte de esta monumental ciudad.

4   Este descubrimiento fue uno de los más importantes que se hicieron en el siglo veinte en América Latina. El gobierno de México creó el Proyecto Templo Mayor para desenterrar, restaurar y exhibir al público el Templo Mayor de los aztecas. Nombraron al arqueólogo Eduardo Matos Moctezuma para dirigir la excavación.

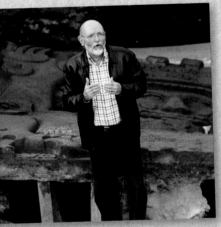

El arqueólogo Eduardo Matos Moctezuma

5   Eduardo Matos Moctezuma nació en la Ciudad de México, en 1940. Estudió arqueología en la Escuela Nacional de Antropología e Historia, donde obtuvo el título de arqueólogo. Después realizó estudios graduados de antropología en la Universidad Nacional Autónoma de México (UNAM). Cuando se graduó, trabajó como investigador en varias ruinas de las antiguas civilizaciones de México. Por su preparación académica y experiencia, fue nombrado coordinador de las excavaciones del Templo Mayor.

6   Además de arqueólogos y antropólogos, se necesitaba la ayuda y conocimientos de muchos otros profesionales. Hacían falta, por ejemplo, historiadores para investigar los orígenes del pueblo azteca y la historia de la construcción de la ciudad de Tenochtitlan. También se necesitaban restauradores para reparar las piezas que se desenterraban, ya que al haber estado tantos siglos enterradas, algunas podían estar dañadas o deterioradas. Hacían falta biólogos y químicos para analizar las piezas, determinar su antigüedad y saber de qué materiales estaban hechas. También hacían falta geólogos para estudiar el terreno y decidir cómo y por dónde era mejor excavar. Y por supuesto, se necesitaban fotógrafos para sacar fotos de todas las piezas que se iban descubriendo. También se les pidió ayuda a otros profesionales como artistas, arquitectos, ingenieros y periodistas.

7   Para realizar las excavaciones en la zona del Templo Mayor, fue necesario derribar trece edificios que habían sido construidos encima del templo. Durante todos estos años de excavación se han encontrado miles de objetos que los antiguos aztecas utilizaban: vasijas de cerámica, figuras de los dioses, máscaras, esculturas, monolitos y más. Las exploraciones continúan hoy en día y se siguen descubriendo objetos y edificaciones de la antigua ciudad azteca de Tenochtitlan.

Figura de Tlaloc, dios del agua

8   Estos descubrimientos y las investigaciones de los historiadores nos permiten entender un poco mejor la historia del pueblo azteca antes de la llegada de los conquistadores españoles. ¿De dónde venían los aztecas? ¿Por qué eligieron este lugar para construir su ciudad y el Templo Mayor?

9   Hace muchos siglos, probablemente alrededor del año 1325, los mexicas —también conocidos como aztecas— llegaron a una isla del lago Texcoco, en el centro de México. En ese lugar fundaron la ciudad de Tenochtitlan, que siglos más tarde se convertiría en la ciudad más grande y poblada del imperio azteca. Pero, ¿por qué eligieron ese lugar?

10   Cuenta la leyenda azteca que una antigua profecía decía que la ciudad debía construirse en el lugar donde vieran un águila, encima de un nopal, comiéndose una serpiente. Según la tradición, los aztecas vieron el águila en la isla del lago Texcoco, y por eso fundaron ahí su ciudad.

Escudo Nacional de México

11   La construcción no fue fácil porque el terreno de la isla era pantanoso. Los aztecas construyeron canales y rellenaron parte del lago. En el centro de la ciudad construyeron los edificios del gobierno, los palacios de los reyes, las canchas de juego y los templos religiosos. También construyeron un zoológico, fuentes, jardines y un mercado enorme donde más de 25,000 personas iban a comprar y vender productos.

12   Cuando llegaron los conquistadores españoles a Tenochtitlan se encontraron con una ciudad de más de 200,000 habitantes distribuidos en unos 70 vecindarios. En el centro de la ciudad estaba el Templo Mayor, la construcción más grande. Este templo era, en realidad, una pirámide enorme con dos templos en la parte más alta.

13   Tenochtitlan maravilló a los españoles, ya que no habían visto nunca una ciudad tan grande y tan organizada como esa. Sin embargo, atacaron la ciudad y después de varias luchas muy fuertes, los aztecas perdieron. Los conquistadores españoles decidieron destruir el templo y los edificios aztecas. Luego, construyeron sus edificios encima de la capital azteca, y es así como la actual Ciudad de México se encuentra encima de la antigua Tenochtitlan. Por esta razón, el Templo Mayor azteca estuvo oculto durante siglos hasta esa madrugada de febrero de 1978, cuando fue redescubierto.

"Mercado en Tenochtitlan", fresco, Palacio Nacional, México D.F.

Comprendo lo que leí

1. ¿Quiénes construyeron el Templo Mayor?

   a. los aztecas

   b. los españoles

   c. los arqueólogos

2. ¿Quién es Eduardo Matos Moctezuma?

   a. Es el electricista que encontró la primera piedra del templo.

   b. Es el arqueólogo que dirigió las excavaciones del templo.

   c. Es el líder azteca que construyó el templo.

3. ¿Quiénes estudiaron los orígenes del pueblo azteca y Tenochtitlan?

   a. los historiadores

   b. los ingenieros

   c. los geólogos

4. ¿Cuántos habitantes tenía Tenochtitlan cuando llegaron los españoles?

   a. 1,325 habitantes

   b. 25,000 habitantes

   c. 200,000 habitantes

5. ¿Dónde construyeron los españoles la Ciudad de México?

   a. lejos de Tenochtitlan

   b. cerca de Tenochtitlan

   c. encima de Tenochtitlan

6. ¿Por qué era importante excavar y restaurar el Templo Mayor?

Antes de leer

¿Cuál es tu instrumento musical favorito? ¿Por qué?

¿Conoces el origen o la historia de algún instrumento musical?

¿Qué música te gusta? ¿Qué instrumentos musicales se usan para tocar esa música?

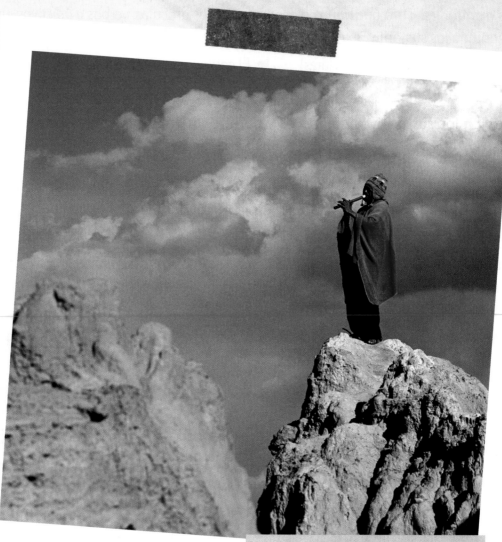

Músico andino tocando la quena

Los instrumentos de la música andina de Ecuador

María Á. Pérez

1   La música es una parte muy importante de las celebraciones en todas partes del mundo. En las numerosas fiestas que hay en Ecuador a lo largo del año, la música tiene un papel muy especial. Los desfiles, bailes y festividades se acompañan con la música que interpretan las distintas bandas, grupos y orquestas que hay en el país.

2   La música de los pueblos de los Andes de Ecuador tiene elementos en común con la música del resto de las regiones andinas de Perú, Bolivia, Chile y Argentina. Los instrumentos musicales que se usan para interpretar esta música son también muy parecidos en esos países.

3   Muchos de los instrumentos de la música andina se originaron en el continente americano antes de la llegada de los europeos. De hecho, algunos instrumentos tienen miles de años de historia, pues fueron creados por los primeros habitantes de la región.

La zampoña

Quenas

La quena

4   La "quena" es un instrumento de viento, una especie de flauta. Se fabrica con caña de bambú que se corta y pule. Luego se le hacen siete agujeros. El músico sopla por un extremo de la caña y con sus dedos tapa y destapa los siete agujeros para producir la música.

5   Este instrumento es muy antiguo, ya que lo tocaban los distintos pueblos indígenas que habitaban en la cordillera de los Andes hace cientos de años. El sonido de la quena es muy dulce y es, quizás, el sonido más reconocible de la música andina.

La zampoña

6   La "zampoña" es otro instrumento de viento típico de la música de la región de los Andes. Está hecha con varios tubos de bambú unidos entre sí. En el pasado, estos tubos se hacían también de hueso y se adornaban con plumas de cóndor, un ave típica de los Andes. Sin embargo, hoy en día, casi todas las zampoñas son de bambú.

Grupo de músicos tocando la zampoña

7   El largo de los tubos de la zampoña varía, pues el sonido que produce cada tubo depende de su largo y del material con el que está hecho. Por lo general, la zampoña tiene 13 tubos y el músico sopla por un extremo de los tubos para producir el sonido.

8   El instrumento nacional de Ecuador es un tipo de zampoña llamada "rondador". Para fabricar el rondador se usan cañas muy delgadas de bambú. Al ser tan delgadas, el sonido será muy suave y melódico. Las cañas se ordenan en una sola fila y se juntan. El músico sopla a la vez por dos tubos seguidos para producir el sonido musical. El rondador es uno de los instrumentos musicales principales de la música "sanjuanito", que es típica de Ecuador.

El bombo

9   El "bombo" es un instrumento de percusión parecido al tambor. Forma también parte de los instrumentos típicos de la música andina. Hay varios tipos de bombo, pero uno de los más comunes se hace ahuecando el tronco de un árbol. Luego se cubre el fondo y la parte de arriba con piel de oveja, llama, cabra o vaca. Este tambor se toca con un mazo y un palillo. El bombo es muy importante en la música andina porque es el instrumento que marca el ritmo.

Niña tocando el rondador

Grupo de músicos tocando el bombo

177

El charango

10   Otro instrumento común de la música andina es el "charango", un instrumento de cuerdas. Esta guitarrilla se hacía antiguamente con el caparazón seco del armadillo. Hoy en día se hace de madera, como las guitarras.

11   Hay distintos tipos de charango, pero el más común tiene cinco pares de cuerdas, o diez cuerdas.

12   El charango es un instrumento "mestizo", es decir, es el resultado de la mezcla de la cultura española y la cultura indígena de los Andes. Los españoles trajeron sus instrumentos musicales a América del Sur y los indígenas adaptaron algunos de esos instrumentos para tocar su música.

13   Estos instrumentos son la base de la música que asociamos con la región de los Andes de América del Sur. En algunos casos varían un poco según la zona o el país, pero tienen un origen en común. En su mayoría son instrumentos que ya existían antes de la llegada de los europeos. Otros, como el charango, fueron una mezcla de los instrumentos musicales de los indígenas y de los europeos.

14   Hoy en día, al igual que lo hacían antiguamente, estos instrumentos alegran las fiestas de toda la región.

Músico andino tocando el charango

Comprendo lo que leí

1. ¿En qué países se origina la música andina?

   a. en Argentina, Bolivia, Chile, Ecuador y Perú

   b. en Bolivia, Chile, Ecuador, México y Perú

   c. en Argentina, Ecuador, El Salvador y Uruguay

2. ¿Cuál es el instrumento nacional de Ecuador?

   a. la quena

   b. el rondador

   c. el bombo

3. ¿Qué instrumento tiene diez cuerdas divididas en cinco pares?

   a. la quena

   b. la zampoña

   c. el charango

4. ¿Por qué es importante el bombo?

   a. porque está hecho de madera

   b. porque se toca con un mazo y un palillo

   c. porque marca el ritmo de la música

5. ¿Qué instrumento es el resultado de la mezcla de la cultura española y la cultura indígena de los Andes?

   a. el bombo

   b. el charango

   c. la zampoña

6. ¿Por qué crees que la música es importante en las celebraciones de Ecuador?

Así se dice

1. Escoge el sinónimo de las palabras subrayadas. Usa el diccionario.

extensión	típico	consiste	unión
toca	identificable	lima	importante

a. La música es un elemento <u>destacado</u> de las celebraciones.

b. La orquesta <u>interpreta</u> varias piezas musicales.

c. La caña de bambú se corta y se <u>pule</u> para hacer la quena.

d. La quena era ya conocida antes de la <u>expansión</u> del imperio inca.

e. El sonido de la quena es muy <u>reconocible</u>.

f. La zampoña <u>consta</u> de varios tubos de bambú.

g. El charango es un instrumento <u>característico</u> de la música andina.

h. El charango es el resultado de una <u>fusión</u> de culturas.

2. Busca la palabra que significa lo mismo en la lectura. El número dice en qué párrafo está la palabra.

a. tallo de una planta que se usa para hacer objetos (4)

b. instrumento parecido al tambor (9)

c. acción de sacar lo que hay dentro de algo (9)

d. concha dura que protege a un animal (10)

3. Escribe una oración con las palabras de la actividad anterior.

4. Escoge la palabra que completa la analogía. Usa el diccionario.

andina	melódica	percusión	reconocible

a. veloz : rápido :: armoniosa :

b. flauta : viento :: tambor :

c. continente : americano :: región :

d. inesperado : planificado :: inidentificable :

Así se escribe

Los **homófonos** son palabras que se pronuncian igual pero se escriben de forma diferente.

➤ La **casa** de Carlos es grande. (casa: una vivienda)

➤ Él **caza** animales salvajes. (caza: capturar animales)

1. Escoge la palabra que completa la oración. Usa el diccionario.

   a. Ayer el músico (tubo / tuvo) un concierto.

   b. Cada (ves / vez) que el músico sopla, suena la flauta.

   c. ¿De qué material está (hecha / echa) esa flauta?

Los **pronombres indefinidos** son palabras que dan información sobre la cantidad de algo, pero no dicen con exactitud cuánto hay. Algunos son:

➤ **mucho, poco, bastante, varios, alguno**

2. Identifica el pronombre indefinido en la segunda oración.

   a. Hay instrumentos con tubos. La zampoña tiene varios.

   b. Unos instrumentos son antiguos. Algunos tienen miles de años.

   c. Los instrumentos varían según el país. Muchos son de viento.

3. Completa el párrafo con la forma correcta de los verbos entre paréntesis.

Hace siglos, los españoles (*traer*) instrumentos musicales de Europa. Los indígenas (*hacer*) una mezcla de los instrumentos andinos y los españoles. Muchos de los instrumentos que nosotros (*tener*) hoy en día (*ser*) el resultado de esa mezcla. En el futuro (*tener*) nuevos instrumentos.

A escribir

● ¿Cuál es tu instrumento musical favorito? ¿Cómo es? ¿Cómo suena? ¿En qué se parece y en qué se diferencia de otros instrumentos musicales? Escribe un párrafo.

Leyenda

v. = verbo; *s.* = sustantivo; *adj.* = adjetivo; *adv.* = adverbio

a flote (de **flotar**) flotando sobre el agua p. 95

a su vez *at the same time* p. 43

las **aberturas** (de **abertura**) (*s.*) bocas o agujeros p. 135

absurdas (de **absurda**) (*adj.*) sin sentido p. 128

la **abundancia** (*s.*) gran cantidad de algo pp. 113, 135

acordado (de **acordar**) (*v.*) decidido, establecido p. 65

adentro (*adv.*) *inside* p. 31

afecta (de **afectar**) (*v.*) *affects* p. 49

los **agricultores** (de **agricultor**) (*s.*) personas que cultivan la tierra p. 112

la **agronomía** (*s.*) carrera relacionada con el cultivo de la tierra p. 105

aguantando (de **aguantar**) (*v.*) resistiendo el deseo de hacer algo p. 80

el/los **agujero(s)** (*s.*) hoyo o abertura pp. 63, 167, 176

ahuecando (de **ahuecar**) (*v.*) dejar vacío algo p. 177

al vapor *steamed* p. 31

el **alboroto** (*s.*) ruido de voces y gritos p. 159

el **alemán** (*s.*) *German* p. 19

las **alfombras** (de **alfombra**) (*s.*) *carpets* p. 14

la **alianza** (*s.*) unión p. 64

las **alpacas** (de **alpaca**) (*s.*) animales de pelo largo y fino parecidos a la llama p. 111

amarga (*adj.*) de sabor agrio o ácido p. 152

las **amenazas** (de **amenaza**) (*s.*) palabras para asustar a alguien y obligarlo a hacer algo que no quiere p. 63

andinas (de **andina**) (*adj.*) de los Andes, en América del Sur p. 175

la **antigüedad** (*s.*) tiempo antiguo, lejano p. 90

los **antropólogos** (de **antropólogo**) (*s.*) personas que estudian al hombre y su comportamiento en la sociedad p. 168

aplastaban (de **aplastar**) (*v.*) las apretaban poniéndoles un peso grande encima p.154

arde (de **arder**) (*v.*) *burns* p. 38

la **arena** (*s.*) *sand* p. 25

los **aros** (*s.*) piezas en forma de círculo p. 88

los **arqueólogos** (de **arqueólogo**) (*s.*) personas que estudian los restos de pueblos y civilizaciones antiguas pp. 89, 167

el **arquero** (*s.*) portero de fútbol p. 120

arrojaban (de **arrojar**) (*v.*) lanzaban, tiraban p. 159

las **artesanías** (de **artesanía**) (*s.*) objetos o cosas hechas a mano o con instrumentos muy sencillos p. 73

asistimos (de **asistir**) (*v.*) vamos, acudimos p. 79

asombroso (de **asombro**) (*adj.*) que causa admiración o sorpresa **p. 129**

astuto (*adj.*) hábil para engañar y lograr lo que quiere **p. 64**

atreví (de **atrever**) (*v.*) tuve el valor suficiente, me arriesgué **p. 81**

audaz (*adj.*) arriesgada **p. 65**

la **avidez** (*s.*) ansia, deseo **p. 146**

 ·

los **barrotes** (de **barrote**) (*s.*) barras de hierro que se colocan en las jaulas **p. 159**

bilingües (de **bilingüe**) (*adj.*) *bilingual* **p. 19**

bosteza (de **bostezar**) (*v.*) abre mucho la boca en señal de sueño o aburrimiento **p. 120**

la **broma** (*s.*) *joke* **p. 8**

 ·

las **caderas** (*s.*) partes del cuerpo que sobresalen por debajo de la cintura **p. 88**

el **calzado** (*s.*) todo tipo de zapato **p. 112**

los **calzoncillos** (de **calzoncillo**) (*s.*) ropa interior que usan los hombres debajo de los pantalones **p. 95**

el **camión** (*s.*) vehículo grande que se usa para transportar cargas pesadas **p. 160**

la **canela** (*s.*) *cinnamon* **p. 32**

la **caña** (*s.*) tallo hueco y con nudos, como el bambú **p. 176**

capaces (*adj.*) no se atreverían, no podrían p. 56

el **caparazón** (*s.*) capa dura que cubre y protege el cuerpo de algunos animales p. 178

las **carcajadas** (de **carcajada**) (*s.*) risas muy ruidosas p. 79

las **caricaturas** (de **caricatura**) (*s.*) dibujos que exageran las características de alguien p. 105

las **carrozas** (de **carroza**) (*s.*) carros con adornos en un desfile p. 72

la **casa** (*s.*) *house* p. 7

castigado (de **castigar**) (*v.*) puesto una pena a alguien porque no ha actuado bien p. 122

el **caucho** (*s.*) material resistente que se extrae de algunas plantas p. 87

cazarlos (de **cazar**) (*v.*) perseguirlos para atraparlos o matarlos p. 159

el **césped** (*s.*) hierba corta y muy junta que cubre el suelo p. 127

la **charca** (*s.*) charco grande de agua p. 95

chillaron (*v.*) hicieron sonidos fuertes y desagradables con la voz p. 162

las **chinches** (de **chinche**) (*s.*) insectos que chupan la sangre de las personas p. 64

el **ciclismo** (*s.*) deporte de carreras en bicicleta p. 73

la **comarca** (*s.*) territorio en el que hay varias poblaciones p. 79

congelaran (de **congelar**) (*v.*) enfriaran a bajas temperaturas p. 154

la **cosecha** (*s.*) frutos que se recogen de la tierra p. 113

el **cráter** (*s.*) agujero en la parte más alta de un volcán, por donde sale la lava **p. 135**

las **cuerdas** (*s.*) hilos fuertes y tirantes que tienen algunos instrumentos musicales, como la guitarra **p. 178**

cultivaban (de **cultivar**) (*v.*) *cultivated, grew* **pp. 32, 151**

los **cultivos** (de **cultivo**) (*s.*) plantas como cereales, verduras y frutas **p. 137**

cuyas (de **cuya**) de las cuales **p. 128**

debajo (*adv.*) *under* **p. 25**

decidida (de **decidir**) (*adj.*) segura de lo que va o no va a hacer **p. 81**

la **décima** (*s.*) estrofa de diez versos con una rima especial **p. 143**

declaró (*v.*) proclamó, anunció **p. 64**

desanimó (de **desanimar**) (*v.*) perdió el entusiasmo **p. 112**

desastroso (*adj.*) mal organizado **p. 128**

descubrieron (de **descubrir**) (*v.*) *they discovered* **p. 43**

desenterrar (*v.*) sacar lo que está enterrado bajo tierra **p. 168**

desesperado (de **desesperar**) (*adj.*) nervioso, sin esperanza **p. 66**

desparramó (de **desparramar**) (*v.*) lanzó por muchos sitios **p. 129**

destruir (*v.*) *to destroy* p. 26

detente (de **detener**) (*v.*) párate, no sigas p. 98

devora (de **devorar**) (*v.*) *devours, eats up* p. 26

el **dinero** (*s.*) *money* p. 37

dirigimos (de **dirigir**) (*v.*) fuimos hacia un lugar p. 81

las **disculpas** (de **disculpa**) (*s.*) explicaciones que se dan para pedir perdón por algo p. 121

diversiones (*adj.*) *amusements* p. 13

domesticar (*v.*) aclimatar; hacer que una planta se adapte a un ambiente diferente p. 151

dominarlo (de **dominar**) (*v.*) controlarlo, domarlo p. 73

E

elegir (*v.*) escoger o seleccionar a una persona entre otras p. 72

enfrascado (de **enfrascarse**) (*v.*) concentrado en algo p. 145

enrolla (de **enrollar**) (*v.*) *rolls* p. 25

enseguida (o **en seguida**) (*adv.*) inmediatamente, después p. 162

entra (de **entrar**) (*v.*) *enters* p. 7

entre sí unos a otros p. 176

entrenando (de **entrenar**) (*v.*) practicando o preparándose para un juego o competencia p. 79

entusiasmada (de **entusiasmo**) (*adj.*) con mucho interés, con mucho gusto p. 58

enviaron (de **enviar**) (*v.*) *sent* p. 37

eran (de **ser**) (*v.*) *were* p. 49

la **erupción** (*s.*) salida de sólidos, líquidos o gases del interior de la Tierra p. 136

la **escritura** (*s.*) *writing* p. 43

esforzándose (de **esforzar**) (*v.*) haciendo esfuerzos con algún fin p. 98

el **esfuerzo** (*s.*) uso intenso de la fuerza o inteligencia para conseguir algo p. 161

la **especie** (*s.*) clase p. 176

los **espectadores** (*s.*) personas que asisten a un acto público p. 88

la **espina** (*s.*) púa o punta dura de algunas plantas p. 80

las **estanterías** (de **estantería**) (*s.*) muebles con tablas horizontales que sirven para poner cosas encima p. 129

los **eventos** (de **evento**) (*s.*) acontecimientos sociales, artísticos o de otro tipo p. 71

exaltar (*v.*) alabar p. 145

la **excavación** (*s.*) proceso para sacar cosas de debajo de la tierra p. 168

expulsada (de **expulsar**) (*v.*) lanzada p. 136

los **extraterrestres** (de **extraterrestre**) (*s.*) seres de otro planeta diferente a la Tierra p. 128

 ●

fanáticos (de **fanático**) (*adj.*) seguidores de algo o alguien p. 87

el **fierro** (*s.*) hierro **p. 160**

las **flores** (de **flor**) (*s.*) *flowers* **p. 13**

el **francés** (*s.*) *French* **p. 19**

frondosos (de **frondoso**) (*adj.*) con muchas hojas y ramas **p. 128**

las **fuentes** (de **fuente**) (*s.*) *fountains* **p. 13**

la **función** (*s.*) representación de una obra de teatro **p. 58**

 G

las **garrapatas** (de **garrapata**) (*s.*) insectos que viven en la piel o pelo de algunos animales y chupan su sangre **p. 64**

las **golosinas** (de **golosina**) (*s.*) dulces, como caramelos, pasteles y bombones **p. 74**

el **gorro** (*s.*) *cap*, *hat* **p. 13**

grosero (*adj.*) maleducado **p. 121**

 H

la **hierba silvestre** (*s.*) hierba que nace de forma natural sin que se plante o cultive **p. 151**

las **historietas** (de **historieta**) (*s.*) cómics; relatos con dibujos **p. 120**

la **hoja** (*s.*) *leaf* **p. 25**

hoy día *nowadays* **p. 50**

hubiesen (de **haber**) (*v.*) tiempo condicional del verbo haber; verbo auxiliar **p. 79**

I

el **idioma** (*s.*) *language* p. 19

impecable (*adj.*) perfecta p. 130

impedir (*v.*) evitar, detener p. 95

los **indígenas** (de **indígena**) (*s.*) personas nativas de un lugar; (*adj.*) de la cultura nativa pp. 87, 111

influenció (de **influenciar**) (*v.*) influyó; tuvo un efecto sobre algo o alguien p. 106

la **ingeniería** (*s.*) ciencia que se usa para inventar y construir cosas útiles para las personas p. 103

inmutable (*adj.*) sereno, sin cambiar de actitud p. 63

la **innovación** (*s.*) cambio que se hace en algo p. 103

los **intercambios** (de **intercambio**) (*s.*) acciones en las que se da una cosa para recibir otra p. 151

el **interior** (*s.*) la parte de dentro de algo p. 153

invadir (*v.*) *to invade* p. 26

J

los **jardines** (de **jardín**) (*s.*) *gardens* p. 13

el **jinete** (*s.*) persona que monta o se sube a un caballo p. 73

los **juegos mecánicos** (*s.*) aparatos que se instalan en las ferias como diversión p. 73

L

largo (*adj.*) *long* p. 13

laterales (de **lateral**) (*adj.*) que están a los lados p. 88

la **leña** (*s.*) *firewood* p. 38

la **lona** (*s.*) tela gruesa que se usa para cubrir cosas p. 160

luminosas (de **luminosa**) (*adj.*) que dan luz p. 63

la/las **madrugada(s)** (*s.*) amanecer; momento en que comienza a salir la luz del día pp. 145, 167, 170

mal humor (*s.*) *bad temper* p.25

las **malas hierbas** (*s.*) plantas dañinas que crecen en los sembrados p. 127

malcriado (*adj.*) consentido; persona a la que se le permite todo p. 119

la **maleza** (*s.*) malas hierbas p. 130

malvado (*adj.*) persona mala p. 98

las **máquinas** (*s.*) *equipment, machines* p. 26

la **masa** (*s.*) *dough* p. 31

el **mazo** (*s.*) pelota gruesa de cuero con mango de madera que se usa para tocar el bombo p. 177

la **mazorca** (de **maíz**) (*s.*) *corncob* p. 31

melódico (*adj.*) armonioso, agradable p. 177

los **mimos** (de **mimo**) (*s.*) actores que usan solo gestos y movimientos para expresarse p. 74

miserable (*adj.*) despreciable p. 97

molido (de **moler**) (*adj.*) *ground* p. 32

la **montaña rusa** (*s.*) estructura con carritos que suben, bajan, dan vueltas y se deslizan rápido p. 74

la **natación** (*s.*) deporte que se practica nadando **p. 114**

ni siquiera *not even* **p. 13**

el **nivel** (*s.*) *level* **p. 20**

no sé *I do not know* **p. 37**

el **nopal** (*s.*) árbol de hojas con espinas, tallos aplastados y flores grandes **p. 169**

obsesionada (de **obsesión**) (*adj.*) con una idea fija en la mente **p. 82**

olvidaron (de **olvidar**) (*v.*) *they forgot* **p. 43**

el **palillo** (*s.*) varita redonda que se usa para tocar el tambor o bombo **p. 177**

las **palmeras** (de **palmera**) (*s.*) *palm trees* **p. 26**

pantanoso (*adj.*) terreno donde hay charcos de barro o lodo **p. 170**

los **paños** (de **paño**) (*s.*) trozos de tela **p. 66**

los **parientes** (de **pariente**) (*s.*) personas de la misma familia **p. 71**

el **pasillo** (*s.*) espacio largo de una casa que sirve para ir de un cuarto a otro **p. 128**

el **patio** (*s.*) *backyard, courtyard* **p. 7**

los **pedazos** (de **pedazo**) (*s.*) trozos o partes de algo **p. 95**

pegó un salto saltó, brincó **p. 161**

percusión (*adj.*) que suena golpeándolo con las manos, palos, varillas y otras cosas p. 177

permitir (*v.*) *to allow* p. 25

pertenecemos (de **pertenecer**) (*v.*) somos parte, formamos parte de p. 79

perturbó (de **perturbar**) (*v.*) me dejó intranquilo, inquieto p. 81

los **piojos** (de **piojo**) (*s.*) insectos muy pequeños que viven en el pelo de personas y animales p. 64

las **placas** (*s.*) grandes trozos de roca en los que se divide la superficie de la Tierra p. 136

plena (*adj.*) en el momento en el que está ocurriendo la acción p. 98

poblado (*adj.*) que tiene muchos habitantes p. 135

los **pobladores** (*s.*) personas que viven en un lugar p. 90

(no) **podían plantar** (*v.*) *could not plant, could not sow* p. 49

el **prado** (*s.*) lugar con hierba donde pastan o se alimentan los animales p. 65

el **pregón** (*s.*) hecho de comunicar a la gente en voz alta una cosa para que se entere p. 113

privadas (de **privada**) (*adj.*) *private* p. 19

la **profecía** (*s.*) predicción de lo que pasará en el futuro p. 169

propagarse (de **propagar**) (*v.*) extenderse p. 104

propagó (de **propagar**) (*v.*) extendió p. 151

proviene (de **provenir**) (*v.*) procede, viene de p. 87

los **puestos** (de **puesto**) (*s.*) casetas que se ponen en las calles, ferias o parques para vender algo p. 73

pule (de **pulir**) (*v.*) dejarse lisa y suave una superficie p. 176

la **pulpa** (*s.*) carne blanda y comestible de las frutas p. 152

pusieron la mesa *they set the table* p. 38

Q

el **quinto grado** (*s.*) *fifth grade* p. 20

R

los **rascacielos** (*s.*) edificios muy altos p. 103

recapacitado (de **recapacitar**) (*v.*) reconsiderado; pensado bien acerca de algo p. 121

(se) **recolecta** (de **recolectar**) (*v.*) se recoge la cosecha p. 113

reconocible (de **reconocer**) (*adj.*) que se sabe qué es p. 176

reconozco (de **reconocer**) (*v.*) admito, acepto p. 120

recuerda (de **recordar**) (*v.*) *remembers* p. 8

reflexionar (*v.*) pensar despacio acerca de algo p. 122

regresara (de **regresar**) (*v.*) *return, come back* p. 50

remendada (de **remendar**) (*adj.*) arreglada o cosida para cubrir partes viejas p. 127

reñido (de **reñir**) (*v.*) regañado por algo que ha hecho o dicho p. 119

reojo (*adv.*) mirar con disimulo, sin volver la cabeza p. 161

representaban (de **representar**) (*v.*) *they represented* p. 44

restaurar (*v.*) hacer que algo vuelva a estar como antes **p. 168**

(se) **reunían** (de **reunir**) (*v.*) *they gathered* **p. 50**

el **rey** (*s.*) *king* **p. 14**

rondar (*v.*) dar vueltas alrededor de algo **p. 64**

la **rueda** (*s.*) estructura con carritos en círculo, que da vueltas y se detiene **p. 74**

S

el **sabor** (*s.*) *flavor* **p. 38**

sagrado (*adj.*) *sacred, holy* **p. 31**

sale (de **salir**) (*v.*) *comes out* **p. 7**

salen (de **salir**) (*v.*) *leave* **p. 13**

se quita (de **quitar**) (*v.*) *takes off* **p. 14**

los **senderos** (de **sendero**) (*s.*) caminos **p. 138**

los **siglos** (de **siglo**) (*s.*) periodos de cien años **p. 168**

sinvergüenza (*adj.*) que actúa de forma indecente **p. 96**

sísmica (*adj.*) de terremoto o temblor de tierra **p. 136**

sorpresivamente (de **sorpresa**) (*adv.*) de forma inesperada **p. 58**

los **sótanos** (de **sótano**) (*s.*) plantas bajas de los edificios **p. 129**

T

los **tapices** (de **tapiz**) (*s.*) tejidos que se usan para adornar las paredes **p. 112**

tapizar (*v.*) cubrir una superficie con algo **p. 130**

tardías (de **tardía**) (*adj.*) que maduran o florecen más tarde de lo normal **p. 63**

los **tejados** (de **tejado**) (*s.*) partes de arriba de una casa o edificio **p. 127**

las **tejas** (*s.*) piezas de barro o de otro material que cubren los tejados **p. 130**

temido (de **temer**) (*adj.*) que da temor o miedo **p. 81**

tenía (de **tener**) (*v.*) *he was* (*years old*) **p. 44**

el **terreno** (*s.*) espacio de tierra **p. 170**

los **textiles** (de **textil**) (*s.*) tejidos hechos de hilo, fibras de plantas o pelo de animal **p. 111**

topamos (de **topar**) (*v.*) encontramos de casualidad **p. 80**

torció (de **torcer**) (*v.*) hizo un gesto de enfado o enojo **p. 97**

la **tranca** (*s.*) palo grueso con el que se aseguran puertas o ventanas **p. 161**

las **travesuras** (de **travesura**) (*s.*) acciones para divertirse, que no causan daño **p. 74**

trepó (de **trepar**) (*v.*) se subió a lo alto de algo **p. 161**

los **troncos** (de **tronco**) (*s.*) *logs* **p. 38**

los **trovadores** (de **trovador**) (*s.*) personas que componen y cantan versos **p. 143**

los **turnos** (de **turno**) (*s.*) *sessions* **p. 19**

U •

ubicado (de **ubicar**) (*v.*) localizado, situado **p. 136**

vacilaron (de **vacilar**) (*v.*) dudaron p. 65

las **vasijas** (de **vasija**) (*s.*) recipientes de adorno o para guardar líquidos y alimentos p. 169

vayan (de **ir**) (*v.*) *they will go* p. 38

la **vecina** (*s.*) *neighbor* p. 7

el **vendaval** (*s.*) viento fuerte p. 129

el **vergel** (*s.*) huerto con muchas flores y árboles de frutas p. 145

vigilan (de **vigilar**) (*v.*) observan, miran con detenimiento p. 138

villano (*adj.*) que realiza acciones muy malas p. 98

la **zorra** (*s.*) plataforma de un camión p. 160